Je reviendrai à Tahiti

© L'HARMATTAN, 2005
5-7, rue de l'École-Polytechnique ; 75005 Paris

L'HARMATTAN, ITALIA s.r.l.
Via Degli Artisti 15 ; 10124 Torino
L'HARMATTAN HONGRIE
Könyvesbolt ; Kossuth L. u. 14-16 ; 1053 Budapest
L'HARMATTAN BURKINA FASO
1200 logements villa 96 ; 12B2260 ; Ouagadougou 12
ESPACE L'HARMATTAN KINSHASA
Faculté des Sciences Sociales, Politiques et Administratives
BP243, KIN XI ; Université de Kinshasa – RDC

http://www.librairieharmattan.com
harmattan1@wanadoo.fr

ISBN : 2-7475-9046-1
EAN : 9782747590464

Ariirau

Je reviendrai à Tahiti

Roman

L'Harmattan

À Assia Djebar, sa voix et ses mots,
Son amour des êtres humains.
À Assia, et à mon peuple,
Te Ao Ma'ohi, génération Taui.

Pu Fenua :

1- cœur *(Pu)* de la terre *(Fenua)*,

2- le Placenta.

Le cœur, le sang, le souffle.

Seizième siècle. Un navire de la flotte française. Les hommes à bord, des hommes à la peau brûlée par le soleil et durcie par les vents et la mer, ces hommes à bord pêchèrent un de ces beaux rois de l'océan et le placèrent sur le pont. La bête grise et lisse gesticulait, asphyxiée, prise de douleur, sous les rires et la joie de ces maîtres du monde. Deux hommes s'approchèrent, l'un tenant le roi des mers, l'empoignant par ses ailerons frontaux, s'asseyant à califourchon sur le museau du requin pour l'immobiliser. L'autre, avec son couteau de fortune, découpa, lentement et difficilement la peau épaisse et dure, amputant un à un les ailerons du roi agonisant la gueule à peine ouverte et silencieuse, sous les rires et la joie de ces maîtres du monde. La sueur du bourreau, sous le soleil tapant, se mêlait au sang de la bête. Acier planté, enfoncé, englouti dans la chair palpitante. Le sang coulait, tâchait les mains du marin, souillait le pont de bois. Le corps fuselé argenté serpentait tant bien que mal, trouvant je ne sais où, quelque force pour se débattre. Les érudits de l'ancien monde infligèrent le traitement humiliant à ce porteur des esprits ancestraux du peuple ma'ohi, sans y percevoir de réelle offense. La torture expiatoire fut un véritable spectacle. Les hommes, accoudés et penchés sur le pont de leur navire, fixaient, la joie au ventre, le monstre sacré, encore vivant, qui avait retrouvé son souffle dans l'océan, mais qui, dans une douleur déchirante, les membres amputés, se mit à couler au fond des mers. Ce point de l'océan rougi attira les autres requins qui descendirent dans la tombe de leur *feti'i*, leur frère. Un, deux, une dizaine d'ailerons transpercèrent la surface de la mer de sang. Puis une cinquantaine d'ailerons, peut-être plus. Les visages des hommes se crispèrent à la vue

13

du rassemblement d'autant de monstres. Ils s'attendirent au carnage, à les voir dévorer le requin mutilé, dont le cœur battait probablement ses derniers tambours. Mais il n'en fut rien. Les requins encerclèrent le navire, à une distance suffisante pour accompagner la conscience de ces hommes. Quelques uns se mirent à compter les ailerons, afin d'évaluer le nombre des prédateurs qui entouraient le navire. Mais ce fut peine perdue, le capitaine de bord les rappela à l'ordre, il fallait reprendre ses fonctions. Le second jour, puis le troisième jour, alors que l'embarcation bravait la mer, les requins suivaient inlassablement l'immense coque humaine. Un des marins prit alors les ailerons mutilés, car leur vue le dérangeait. Soudainement il s'était mis à penser que ces requins avaient quelque chose d'humain. Il balança les ailerons par-dessus bord. C'est alors que les requins disparurent progressivement et s'enfouirent dans la profondeur océane.

Herenui, le grand amour, nage au-delà du lagon, son corps agile ondule, ses cheveux ambrés flottent et se meuvent comme les algues. Les yeux ouverts, elle nage, elle sent la présence des requins. Sans avoir peur. Chez elle, dans ce silence de l'océan, la souplesse de ses membres et la danse de ses boucles harmonieusement bousculées par les vagues. Un spectacle irréel et flou, une beauté muable, confondue dans la nature océane. Les requins dormeurs, inoffensifs, autour d'elle, la retrouvent. Êtres majestueux et terrifiants, porteurs des *varua tupuna*, les esprits de nos ancêtres, notre mémoire. Elle les toucherait bientôt, le temps s'arrêterait pour un instant. Ils la frôleraient sans la heurter, la jeune femme, la petite, l'enfant. La sensation du toucher serait celle du bonheur, de la retrouvaille entre la nageuse de notre monde et cette mémoire ancestrale qu'on lui avait mutilée; une génération couleur d'eau, sans langue, une génération " inclassifiable ". La nageuse avait langui d'eux, comme eux avaient langui d'elle. Le silence de l'océan, où tout s'arrête, tout est si beau, si clair, où tout mène au Bleu. Elle touche la peau lisse et dure du dieu requin, Pohu. Les vibrations du passé lui pénètrent la peau, le sang, le cœur. Maintenant, elle sait.

L'île vivante ne porte pas ce nom et pourtant Herenui sait que cette terre perdue respire la vie. À cette époque lointaine, où les mots transcrits n'existaient pas et la mémoire défiait les hommes, à chaque naissance de l'enfant, nos *tupuna* enterraient le placenta. Pour que l'enfant, si un jour il devait s'exiler, revienne à l'île. Comme des aimants amants accrochés à leur terre par le cordon invisible, les îliens ne pouvaient trouver la paix que s'ils retournaient sur leur terre flottante. L'île est vivante, la terre, l'air, les plantes, aux âmes coexistantes et cacophoniques à vous faire oublier le reste du monde. Île à la dimension humaine : elle est vivante, non pas par les hommes qui la peuplent, mais par sa matière même, sa sève, son vent, son sable, ses odeurs, son cœur assoupi au creux du volcan éteint... Comme le corps d'un être humain et son sang, son souffle, sa peau, sa sueur, son cœur. La tyrannie de l'éloignement n'appartient qu'aux " ex-îlés, ex-îliens ".

L'île est vivante, elle nous a séduits, tous, jeté un sortilège. Malicieuse de maléfices. Comment peut-on aimer de la terre, pourquoi s'attacher à du sable et des cendres. Le placenta enterré, la seule terre au monde, fertile de placentas, où les requins esprits pourchassés par la paranoïa humaine demeurent les silencieux gardiens de l'île. Des êtres majestueux, même lorsque le harpon les transperce et qu'on les étale fièrement, butin de prestige harangué, dents de requin qui pendent en médaillon. Comme si leur puissance se transmettait au vainqueur.

Une immense tristesse emplit la nageuse qui veut se fondre dans l'eau salée. C'est l'osmose de la femme et de la mer. Si les évènements tournent mal au pays, pense la nageuse, je ne dois pas avoir peur, ni des hommes ni de leurs furies, je ne dois pas avoir peur de ceux qui oublient pourquoi et pour qui ils se battent. Je ne dois plus avoir peur, comme je ne crains plus de toucher les requins. Un jour, je retrouverai les miens. Ne plus être orpheline de leur présence, leur amour, les aimer dans l'intemporel. Ma force d'aujourd'hui est confondue à leur passé, à notre mémoire. Ne plus jamais se sentir vulnérable, véritable handicapée de la langue, semi linguiste en mal d'identité, requin mutilé.

L'esprit de la nageuse se noie dans une limpidité mirifique, il parle …

Tahitiens de sang, Tahitiens de cœur. Exilée par le destin, je me suis perdue et je ne peux plus vous retrouver. Je suis la nageuse, je languis de toucher ces ancêtres oubliés. J'ai marché dans les rues grises et enfumées et rien n'a arrêté mon regard, je n'étais pas chez moi, je n'ai reconnu personne. L'amour enfoui à l'intérieur, croupi, gâché, indivisible, se pourrit, car il ne peut être que pour l'île vivante. Tahiti, ma peau de chagrin, je me suis perdue dans le labyrinthe du destin et je languis de fouler ton sable, de frôler tes fleurs, d'aimer tes hommes. Tahitiennes de sang, Tahitiennes de cœur, protégez l'île vivante, la terre aux placentas, la jeteuse de sortilèges amoureux. Aue tatou e! Pauvres de nous! Les expatriés qui crèvent d'envie d'y retourner. Quinze ans d'exil, comme l'autre, l'homme de l'histoire, Pouvanaa a Oopa. Quinze années d'errance. Quinze.

Roselyne-Manureva vole, elle plane. Le vent caresse ce visage humain, ouvert au bleu océanique. Les bras étendus, elle flotte au dessus de l'île. Le souffle du vent, seul son, seul bruit, la berce. Elle attend, sereine et patiente, elle vole, loin de ces oiseaux migrateurs, ces

16

hommes blancs de la reine Marau, elle survole sur un air de douceur, cette île vue d'en haut. Le sourire plein d'espoir pour ces habitants insouciants et ces enfants rois. Elle ne languit de rien, heureuse, il fait bon voler au dessus des hommes, de descendre et de toucher la surface du lagon, d'atteindre le sommet montagneux, d'observer du ciel. Voler, flotter, au dessus des îles flottantes pacifiques. Le regard s'adoucit au toucher de cette île vivante, l'île au récif. Quel régal pour la planeuse, qui se laisse passivement hypnotiser par la fraîcheur du vert, du bleu translucide. Heureuse dans les airs, elle sait qu'elle doit véritablement se poser à un moment ou un autre de son existence.

Elle aperçoit le pic montagneux, par un mouvement du bras droit, tire machinalement sur la cordelette et vire à droite. Etrangement, ce n'est pas elle qui descend à la terre, c'est la terre qui monte à elle. Atterrissage brusque, vent qui se tait. Terre qui part en poussière et herbe qui danse. Le toucher des pieds de la jeune femme sur le sol se fait dans la plénitude, la terre l'a attirée.

Elle restera.

Debout sur le sol, la première chose à faire, sera d'observer le ciel.

La planeuse penche légèrement sa tête en arrière, ce n'est pas la peine de se voiler le regard du soleil. Ses yeux se posent sur cet oiseau aux plumes rouges, qui vole en cercle, comme s'il montait la garde. Il est apparu comme une tâche dans le ciel, imprévisible. Un oiseau aux plumes rouges, qui vient bousculer le bleu pâle de la planeuse. Interdite, elle s'immobilise et observe. Les pieds sur terre, son esprit s'envole vers l'oiseau. Voir le jour en métropole, sur une terre inconnue, grandir sur l'île vivante. Elle reconnaît les signes, sans les connaître. Les plumes rouges appartiennent au *haere-po*, le prêtre des temps anciens : plumes rouges, bordant la forme en *U*

17

du pectoral assorti de coquillages fins soudés au tapa blanc, comme la crainte soudée au regard du prêtre quand les *atua,* les dieux firent la sourde oreille à ses prédictions.

Clara-Aroatua. La coureuse se lève brusquement du lit, le soleil vient à peine de se lever. Les cheveux châtains noués en queue de cheval, un Tee-shirt usé blanc et rouge « votez Icks » sur le dos. Elle le porte sans conviction, surtout qu'il date de 1981, mais juste pour faire plaisir à sa grand-mère qui ne supporte pas qu'on dise du mal de l'homme, sous prétexte que « c'est un frère ». On ne l'a jamais vu dans sa maison, chef-lieu de cancrelats et de mites! Des cancrelats se promènent impunément sur les carreaux de la salle de bain quand elle prend sa douche, les mites grignotent inlassablement les cloisons en contreplaqué. On vit avec!... La coureuse, les yeux encore bouffis de sommeil, enfile son vieux short de coton gris et sa paire de tennis usée. Elle court pour suer ses pensées malsaines, pour oublier, elle court parce qu'elle aime parcourir les chemins ombragés du matin, le parfum des plantes odorantes qui lui saute au nez, la beauté des pamplemousses verts qui la taquine. Chaque matin, en passant, elle veut en piquer un à sa voisine qui la regarde généralement d'un mauvais œil, à cause de son Tee-shirt. Elle court parce qu'elle aime se fondre dans le décor à peine éveillé de son quartier. Le coq la devance toujours par son chant cinglant, l'emblème de la France appartient au Chinois, l'emblème de la France se ballade avec ses poules de maison en maison avec toute l'assurance d'un propriétaire, haut sur pattes et bien plumé de noir et de rouge...

C'est sur un rythme cadencé que chaque pied devance l'autre, se pose lestement et rapidement sur le chemin caillouteux et poussiéreux qui devait être refait, si ce n'était pas pour les histoires de terre et le marasme

18

administratif de la mairie du quartier. La coureuse court chaque matin, foule la terre aux placentas, elle court. Son sang, sa sève, ses battements de cœur et son souffle : Osmose de la femme et de la plante.

Elle passe à côté du magasin *tinito*, chinois, où Tamuera, un beau garçon - non déclaré par son papa légionnaire et espagnol - est assis sur les marches du petit commerce. Tamuera est déjà *fiu*, blasé de la journée qui n'a pas encore commencé. Il gobe les mouches, il la regarde courir, lui fait un clin d'œil en guise de salutation matinale. Le souffle, le mouvement corporel sont répétitifs, cadencés, l'esprit de la coureuse s'imprègne du décor qui l'entoure. Ses pores se dilatent, la peau de ses joues rougit à peine, une perle de sueur naissante à la base de son front se glisse jusqu'au sourcil brun arqué, plonge et éclate sur la peau humide. Et elle, pense à tous ces gens qui vivent autour d'elle. Tous ces acteurs de la vie tahitienne. À leurs rêves. Les pensées de la coureuse s'évaporent dans la moiteur atmosphérique et les senteurs du quartier.

Tamuera, grand et gracile, les yeux verts et le visage ovale, le nez camus, les lèvres charnues, les cheveux bruns, les muscles bien dessinés qu'il arbore fièrement, Tamuera rêve d'être mannequin. Il a arrêté l'école au CM2, comme beaucoup d'autres. Enfant sans père, un père illégitime, comme beaucoup d'autres, il ne grandit qu'avec le modèle de lui-même.

Mamie Louise, la grand-mère de Clara, avait chez elle un portrait encadré de Charles de Gaulle, qu'elle faisait passer pour un frère. Elle aurait aussi invité Jacques Chirac à dîner chez elle, « avant qu'il ne devienne Président de la République! », disait-elle. Mamie était un personnage à part, elle aussi non reconnue par son père, le Corse, qu'elle adorait comme un dieu même s'il avait vécu indifférent à sa progéniture. Mamie Louise a fait sept fausses couches et pour chaque enfant perdu à la naissance, elle en a adopté un. La dernière, c'était Hina.

Il y a aussi dans le quartier la Marquisienne Irina qui a pour habitude de faire les gros yeux à la vue des *tiki*, obsédée par les tours coquins des demi dieux. Irina, la Marquisienne, au corps mince et sec, qui se vante de battre son mari quand il rentre tard.

Les muscles de ses jambes se raidissent, le rythme respiratoire décélère. Elle se sent bien, en vie, à cet endroit même de la planète. La coureuse, en sueur, ralentit le pas... Ces habitants sont des êtres façonnés dans les décors, moulés par l'île vivante. La terre aux placentas détient leur âme. Même si elle court pour oublier, elle ne peut s'empêcher de penser à eux. *Leur souffle, leur cœur, leur sang! Tahitiennes de cœur, Tahitiennes de sang.* Enfants, petites, jeunes femmes, actrices de leur propre vie, inconnues au monde, mais heureuses de l'être, vivant sans autre prétention que celle d'être là, dans les éléments *terre eau air* de la terre aux placentas. Nager dans les eaux prodigieuses, voler dans la sphère oxygénée de l'île vivante, piétiner la terre poudreuse et cailloutée d'une allée de quartier. Vivre inconsciemment dans le souvenir des *Immémoriaux*. Reconnaître sans connaître, elles existent, sans *trop* remettre en question leur identité. Il faut vivre avec ce père illégitime et absent. Les semi linguistes qui refusent de se coller à une seule langue...

Et *Elle* écrit :

« Une grande demie, élancée, la silhouette légèrement courbée par les talons aiguilles, entre dans la limousine noire, aux vitres teintées. Des yeux, ici et là, derrière les fougères, derrière les frangipaniers, les pommes étoiles, observent, curieux, se délectent du péché, imaginent ce qui va se passer pendant la promenade en voiture. Elle a le visage fin, allongé, les yeux clairs, les cheveux bruns, probablement teintés. Appuyée sur la hanche gauche, comme si elle n'avait qu'une seule fesse pour s'asseoir, les fines jambes croisées, elle caresse la cuisse de l'homme au pouvoir, qui se met à bander aussitôt. Il frappe un coup à la vitre teintée qui les sépare du chauffeur : « Tu conduis. Ne t'arrête pas, fais le tour de l'île!... »

L'île est si petite. Une bonne heure et demie d'intimité entre les deux amants.

La caresse continue, automatiquement, dans l'entrejambe, du genou à l'aine. La peau de pêche de sa main, la peau de pêche de son sein, douce de *monoi*, excite sans conteste le sexagénaire cravaté, aux cheveux grisonnants. Ce n'est plus la peine de se regarder, on ferme les yeux. On se colle, et s'entrecroisent les jambes... Le moteur accélère, de même que les pulsations de l'homme en rut, qui se délecte et qui oublie où et qui il doit être. Il la déshabille, elle déboucle la ceinture, le déboutonne et descend la braguette pendant qu'il s'approprie toutes les parcelles possibles de son corps en la caressant. Ses mains furtives et gourmandes empoignent les genoux, la taille, la pressent contre lui. La main droite se faufile dans l'entrejambe jusqu'au sexe de l'amante, positionnée à califourchon, les deux jambes repliées sur le cuir du siège, d'un côté et de l'autre du

21

corps présidentiel. La main se moule au pubis, l'index pénètre la fente. Les yeux fermés, le souffle de la jeune femme est de plus en plus fort. Le chauffeur de la limousine, lui, jette un coup d'œil au rétroviseur, sans réel espoir de pouvoir sonder la scène. La vitre teintée. Il essaie quand même. La route est facile. La circulation fluide, pendant que le fluide sexuel circule sur le siège arrière. Il conduit, la route en face des yeux et la femme nue à l'esprit. L'amant, de ses deux mains plates et larges, s'agrippe au fessier de la femme. Elle l'enlace. Tout se fait les yeux fermés. La pénétration est ponctuée de soupirs et les courbes de la route deviennent celles de la maîtresse, celles du contour de l'île. Simulé ou non, l'orgasme féminin se communie à la jouissance fougueuse, bien certaine, de l'amant extatique.

Le chauffeur tend l'oreille, il a entendu quelque chose.

Elle, qui faisait la fine mouche, lorsque je la courtisais, pense l'homme cravaté...

Une heure et demie... C'était peut-être trop ambitieux au départ. On se réajuste, on se rhabille... On se tient la main. Il allume une Gauloise.

– Veux-tu boire quelque chose? Un Martini?

– Tout va bien? Raconte un peu. Tu m'as manqué.

Les deux amants trouvent assez de mots pour parler pendant une vingtaine de minutes. Puis c'est le silence, on sirote, on se sourit. Il n'y a plus rien à dire, puisque tout est dû et tout est donné. Elle ira séjourner en métropole, pour des photos. Ils se retrouveront quand il devra s'y rendre, pour son mandat. On passera discrètement par New York où il s'est acheté un appartement.

Il cogne à la vitre. Le chauffeur a compris, il fait demi-tour. La voiture noire reprend tranquillement le chemin de la résidence, celle qui est bordée de frangipaniers, de fougères. Là où il y a un pomme étoile. »

Elle s'arrête là, elle soupire : *Ce n'est vraiment pas du Flaubert! Rien à voir avec l'escapade érotique de Madame Bovary dans la carriole...*

– Clara!
– Quoi?!
– Viens *pa'i*, viens me masser les jambes avec du Vicks. Elles me font mal.

Mamie Louise, cheveux teints auburn portés en chignon haut sur tête, corpulente " fémina " enveloppée de son *pareu* vert et jaune, qui laisse paraître les larges bretelles beiges de son soutien-gorge Playtex. Ah, Mamie Louise est tellement *fiu*. Allongée sur son lit qui prend tout l'espace de la chambre, elle souffre de la goutte, la maladie du bon vivant. Mamie Louise a réduit ses allées et venues à l'assemblée territoriale à cause de ses jambes enflées et douloureuses. Mais Clara sait bien que ce n'est pas la goutte qui la fait pester, c'est la politique. Mamie Louise connaît *un tel* qui est maire de tel îlot, « qui cherche des noises à son copain UMP », parce qu'il couche avec la fille d'un autre *tel...* Des histoires à dormir debout, que Mamie Louise prend bien à cœur. Clara prend le petit flacon de Vicks sur la table de nuit. Il fait une chaleur humide, elle a les mains moites.

Des enfants jouent sur le toit en tôle de la maison; ils essaient de cueillir les oranges sans glisser; ils les décrochent de leurs branches; ils s'assoient sur la tôle ondulée et chaude du toit; ils percent à l'aide du pouce l'écorce épaisse du fruit; les pores de la peau d'orange explosent silencieusement, suintent sur le bout de leurs doigts; les enfants, étouffant les rires, balancent les pelures d'oranges par-dessus la fenêtre de Mamie Louise. Ils dévorent les quartiers pulpeux et juteux du fruit sucré. C'est à celui ou celle qui crachera les pépins le plus loin. Mamie peste, elle jure.

23

– Ça alors, ces enfants sont de vrais *kaina*, de vrais petits sauvages! Tu vas leur dire de balayer la cour... Après que tu me masses les jambes.

Clara étale le baume mentholé et se met à masser la jambe gauche de Mamie Louise en mouvements circulaires, jusqu'au genou. La grand-mère ferme les yeux, ouvre la bouche.

– Je t'ai trouvé un travail de secrétaire à l'assemblée, tu sais. J'ai un ami conseiller territorial et il a besoin de quelqu'un pour s'occuper de la paperasserie... Mais il faudrait *pa'i* que tu t'habilles mieux, que tu mettes *pa'i* les robes que j'ai achetées chez *machin chose*. La *mea ma*, la tinito.

– Mamie, je n'ai que mon bac, en plus c'est un bac littéraire. Un travail de secrétaire... à l'assemblée?... Et tu sais, la politique et moi, ça fait deux. Je n'ai pas envie d'être "taguée" à un autonomiste, même si c'est ton ami.

– Qui te parle de faire de la politique? Et comment ça, ça fait deux? Ici tout se sait. On t'a vu traîner dans le quartier de Faa'a, chez *l'Homme de l'Ombre* de l'indépendantiste. Qu'est-ce que tu vas faire là-bas? As-tu oublié qui tu es? Ton aïeul était l'ennemi juré de Pouvanaa, ma fille...

– ... Et ton mari, son chauffeur. Mais non! Ne crois pas les mauvaises langues. Quand je vais là-bas, c'est pour voir ma copine Herenui.

– En voilà une encore, blanche comme un cachet d'aspirine, qui se prend pour une Tahitienne et qui veut nous faire des leçons à nous.

– Qui *nous*?

– Allez, ne discute donc pas avec ta grand-mère, elle est fatiguée. Et puis aussi, ne traîne pas avec Tamuera, c'est un fainéant, un ingénieur des plages qui drague les touristes.

Clara sait qu'il est inutile de contredire l'ancienne. Elle sait tout, le faux ou le vrai. Mamie Louise s'est endormie.

Son portrait photo, dans un cadre en plastique, est accroché à gauche de la porte ; au-dessus du lit, la croix de Jésus pend de façon austère.

Louise... Le visage pâle, elle affiche un sourire écarlate qui se marie à la couleur de l'hibiscus posé sur son oreille droite. Les prunelles couleur noisette, yeux en amandes et soulignés de Khôl noir, le nez fin qu'elle tenait certainement du Corse, le père inconnu de sa fiche d'état civil, et ses cheveux bruns, épais qui lui tombent sur les épaules. Elle a les lèvres fines, les dents blanches. La chevelure frontale est remontée sur le haut de la tête, probablement attachée par une barrette de nacre. Louise sourit, elle a l'air heureuse. Un petit mot est écrit en bas du portrait : *Je suis dans les vignes du seigneur.* Le portrait avait été pris lors d'un *tama'ara'a*, un repas festif familial. Clara remarque aussi sur la table de nuit, une petite bible. Depuis quelques temps, sa grand-mère se lève à cinq heures pour lire des versets. Elle va aussi en cachette chez le sorcier de Papara, un district voisin. À ce qu'on dit, elle lui a offert une moto, des chèvres et sans doute des perles ; pourtant, elle n'a toujours pas payé son téléphone depuis trois mois. Mais on ne peut rien dire à l'ancienne, elle le prendrait mal. Certains sujets sont tabou. Sa fille unique, le premier et seul enfant qui a survécu sa naissance, elle l'a confiée à une Française stérile.

Clara sourit bêtement, sans raison.

Les enfants-rois sur la toiture tôlée doivent désormais balayer la cour de leurs épluchures, s'ils veulent jouer dehors jusqu'à la tombée de la nuit.

– Clara!... Clara! Tico dit *pa'i* que ta copine, la demie, est la maîtresse du président, c'est vrai? Demande la gamine aux cheveux blonds, à la peau plus tannée qu'une brune.

– Mais non, il raconte des bêtises ce garçon. C'est un menteur, *pa'i*! Que je ne le voie plus traîner chez nous s'il continue de raconter des choses pareilles.

Tico, tout penaud, vexé, quitte sa camarade. La tête bouclée marche tout droit, hésitante, sans se retourner, vers la grille du portail. Les jambes noires aussi fines que des baguettes se tortillent de façon maladroite, ses savates frottent le sol et claquent au talon. Tico se retourne, soudainement, il lance avec conviction :

— Un jour, le président aura un nom tahitien, ce sera *notre* président! Et il ne couchera pas avec ta copine demie. Elle est trop *fa'a'oru*, elle est trop fière. Et puis, moi, je ne suis pas menteur! Je suis *fiu* des *farani*, des demis, comme toi et la grand-mère!

L'enfant détale à la vue de Mamie Louise qui se montre au seuil de la porte.

— Mais qui c'est, ce gosse? Demande-t-elle, le regard inquisiteur, à la blondinette de neuf ans qui reste silencieuse. N'est-ce pas le fils de *mea ma, machin chose?*... *Aue*... Sa mère boit, quel malheur. C'est pour ça *pa'i* qu'il est comme ça!

C'est l'habitude de Mamie Louise de diagnostiquer de l'alcoolisme chez tous ses opposants politiques. Parfois, quand il s'agit d'une femme qui la gêne, elle dit, pensive, les yeux mi-clos comme si elle cherchait dans ses archives mémorables :

— Ah oui, je me souviens de sa grand-mère... C'était, *pa'i*, une femme « cartée ». *Aue tatou e!*

Des paroles toujours prononcées avec la plus grande sincérité du monde.

La femme « cartée » était la prostituée : on lui donnait une carte qui l'identifiait comme telle. La prostitution était contrôlée et permettait alors aux Occidentaux, entre autres, d'assouvir leurs besoins sexuels sans se devoir d'épouser la Tahitienne, de réduire au possible les naissances d'enfants sans père, de diriger les hommes de passage vers d'autres femmes moins innocentes mais tout aussi chaleureuses, qui ne leur demanderaient rien en échange que de payer comptant les services corporels.

26

La femme « cartée » fut remplacée par d'autres formes de tourisme sexuel dont Mamie Louise n'avait aucune idée. La petite Hina demeure silencieuse. Elle aime Tico. Ils vont à l'école ensemble. Souvent, le mercredi, quand il n'y a rien à faire, ils dérobent des paquets de chewing-gums mentholés ou parfum fraise chez le Chinois. Tico lui a appris : quand Hina porte son Tee-shirt ample blanc et rouge « Votez Icks », elle passe rapidement dans l'arrière boutique et elle coince le paquet d'Hollywood chewing-gum dans l'élastique de sa culotte maillot de bain. C'est facile, comme elle n'a pas de poche, le Chinois ne se doute de rien. Ils ont bien failli se faire attraper une fois, quand ils y étaient allés avec le fils du professeur de français, Xavier le petit rouquin. L'enfant joufflu est devenu tout rouge de honte. Le commerçant l'a regardé de travers comme s'il avait compris. Evidemment Tico n'avait pas hésité à faire une réflexion sur la couleur de peau : sous prétexte que sa rougeur les avait trahis, Xavier ne devait plus venir avec eux. *Lui, il est laid, il a des « cacas mouche »*[1] *sur la figure. Les Ma'ohi, eux, ne rougissent pas.* Pourtant, Tico, lui, aime faire rougir Hina, oui, il aime bien la faire rougir.

Le père de Tico était bien connu pour ses opinions indépendantistes virulentes. Les paroles de l'enfant n'étaient que l'écho de celles du père. Celui-ci avait débuté avec brio une carrière militaire, mais il s'était retrouvé muté en Mayenne, en France. Plus que la chaleur du soleil, ce fut la chaleur des êtres humains qui lui manqua. À part ce goût développé pour le camembert Bon Mayennais, il n'avait envie de rien, ni même des femmes qui le prenait généralement pour un Marocain. Il fut responsable d'une section de réservistes. Un jour, il décida de leur apprendre l'hymne national tahitien. Il insista, les fit répéter. Un matin, dans la cour, un des

---

[1] Tâches de rousseur

réservistes, fils de fermiers, se mit à gueuler *La Marseillaise* pendant que les autres chantaient tant bien que mal *Ata maua!*... Un air populaire qu'il avait décrété hymne national du *Fenua*. La réprimande du « Tahitien-Français » fut mal reçue par le réserviste métropolitain, mais aussi de ses supérieurs. Le père de Tico abdiqua, démissionna et reprit l'avion pour Tahiti. Il était maintenant garagiste et on le savait bien, ses tarifs changeaient selon que le client était Français de France ou Français de Tahiti...

— *Bébé iti*, prépare-moi un thé, dit Mamie Louise à Clara.

L'ancienne rentre dans le salon et s'assoie sur le fauteuil en osier, recouvert d'un *pareu* blanc et orange. Elle pose ses pieds légèrement en hauteur sur la table basse, à cause de sa mauvaise circulation du sang. La maison est très ombragée, elle doit allumer la lampe de chevet à côté d'elle. Pendant qu'elle s'installe, Clara prépare le thé et la petite Hina apporte le journal *La Dépêche* à la grand-mère *fa'a'amu*. Tout se fait sans paroles, il n'y a que les oiseaux qui piaillent. Le vieux berger allemand, chien jaune et noir, s'allonge sur le seuil de la porte d'entrée ouverte. Les portes, les fenêtres, tout est ouvert dans cette maison de Tipaerui. Le chien, *fiu*, usé par la vie, se laisse passivement agresser par les mouches. Après avoir servi le thé à la grand-mère, Clara s'installe sur le canapé et écarte les genoux, elle place un coussin à ses pieds, sur le linoléum. Hina vient s'y asseoir et confie à l'aînée la bouteille de *monoi* et le peigne noir, aux quelques dents cassées. Clara étale le *monoi* enivrant du parfum de *tiare* sur la chevelure blonde et épaisse de la gamine. D'un mouvement machinal, elle peigne les cheveux, fait la raie, tire et tresse. Tout se fait sans paroles, pendant que l'ancienne lit son journal. Les deux filles l'observent. Puis Hina devine au regard de Mamie Louise que celle-ci veut une cigarette. La gamine déchire un morceau de la couverture cartonnée de sa bande dessinée et le plie minutieusement sur lui-même, elle confectionne le filtre. Elle sort un papier à cigarette. Elle prend le tabac dans le paquet bleu de tabac à rouler, l'étale habilement avec son index et son pouce d'enfant de neuf ans, sans en laisser tomber. L'odeur du tabac et l'odeur du *monoi* se marient quotidiennement tous les après-midi, après la sieste, dans cette maison de Tipaerui. Pendant que Hina roule la cigarette de Mamie Louise, Clara finit de la tresser. La petite se lève.

– Tiens, Mamie. Ta cigarette de légionnaire, ta Gauloise!

Clara va chercher une bouteille de bière Hinano pour la grand-mère et la pose sur la tablette, à sa portée.

Louise ressemble à une grand-mère kabyle, « mais sans la bouteille de bière et la cigarette », avait remarqué Farid, un camarade de classe de Clara. Louise a maintenant les joues creusées, malgré sa corpulence et le visage parsemé de tâches brunes. Ce qui captive le regard de l'autre, ce sont les yeux en amande de l'ancienne. Ses deux prunelles brillantes et alertes. *Lorsqu'on regardait l'ancienne en face, on ne voyait que ses yeux de chat.*

Louise montre rarement ses sentiments, parle peu de son enfance. La grand-mère est une énigme. Fière, elle ne supporte guère les moqueries. Elle s'indigne parfois des nouvelles modes. Clara se rappelle du regard agacé de Mamie Louise à la vue des bagues de doigts de pied ou des boucles de nez, aussi discrètes soient-elles. Elle ne comprend pas non plus pourquoi les *popa'a*, les Blancs se font tatouer. « *À chaque être son histoire*, avait-elle l'habitude de dire, *il ne faut pas voler le passé des autres. La boucle dans le nez, les bagues aux doigts de pied, le carnaval... ce n'est pas tahitien. On mélange tout. On finira par oublier ce qui est vraiment à nous, heureusement que mon copain le président est là. C'est le seul qui peut tenir le peuple en place* ». Mamie Louise et sa perception manichéenne du monde, la

29

politique... Il valait mieux ne rien lui dire, elle oublierait illico presto les liens du sang.

– Arrête de me regarder, tu vas t'user les yeux, ma fille.

Gênée, Clara décide de se remettre à lire *Truismes*, en attendant un coup de fil.

Puis, elle se rappelle que le téléphone ne sonnera pas, puisqu'il est coupé.

Dans les Vignes du Seigneur

Clara va traîner au centre commercial Vaima, pour se rafraîchir les idées. Que va dire l'aïeule, lorsqu'elle apprendra qu'on a rejeté sa petite-fille à l'assemblée pour un petit poste anodin? Dira-t-elle, une fois de plus, Louise, dira-t-elle que c'est une honte? Car, son arrière arrière grand-père fut le premier homme, le premier Tahitien à siéger à l'assemblée territoriale!

Elle se revoit encore, ridicule, dans ce bureau a l'assemblée, essayant de quémander un poste dans toute l'illégitimité d'un bouche-à-oreille :

– Vous êtes sûre que vous aviez un rendez-vous mademoiselle? Demande la secrétaire, une Française qui aurait pu être demie, mais qui ne roulait pas les « r ». La brune fixe Clara d'un air d'ennui.

– Oui, ma grand-mère Louise Popé m'a dit que le président avait un travail pour moi.

– Mais enfin mademoiselle, ça ne se passe pas comme ça ici. Si vous saviez le nombre de personnes qui viennent en disant « mon père ceci, le président cela...» Avez-vous au moins un diplôme à me montrer? Un CV? Savez-vous écrire correctement le français, connaissez-vous le traitement de texte?...

– J'ai mon bac.

– Ecoutez mademoiselle, je suis désolée, je ne peux rien faire pour vous.

– Mais ma grand-mère est une amie du...

– S'il vous plaît, n'insistez pas. Mais vous pouvez me laisser vos coordonnées et j'en toucherai mot au président. Nous vous rappellerons... Au revoir.

La Honte, en tahitien... Te Ha'ama? Te Ha'ama?... J'ai oublié ce mot aussi, mais je sais ce qu'il signifie dans ma langue. La Honte, chez nous, c'est le sentiment de ne pas être à sa place; la

31

Honte, chez nous, c'est le sentiment d'impuissance intérieure lorsqu'on prétend être quelqu'un d'autre, « pour faire bien » vis-à-vis du regard étranger. La Honte... c'est la maîtresse du président à qui on octroie un poste de haute fonction, c'est la petite Tahitienne typée et plantureuse, Clara, qui passe son bac avec mention très bien et qui se retrouve sans travail, La Honte, c'est mamie Louise qui sacrifie sa vie au président, la fonctionnaire de l'État français qui ne peut même plus payer ses factures de téléphone! La Honte, pour le Tahitien, c'est être là où il ne doit pas être!

Assise sur un banc, la jeune femme contemple le front de mer.

C'est ici qu'ont débarqué Bougainville et sa *Boudeuse*, le 6 avril 1768. Quarante mètres soixante de longueur, dix mètres soixante et un de largeur, cinq cents tonnes métriques, deux cent seize hommes, dont cent cinquante matelots et officiers mariniers, trente soldats, douze domestiques...

C'est ici qu'a débarqué son grand-père, le marin infirmier breton, le 19 août 1942.

Allées et venues de femmes en talons aiguilles, talonnées par leurs enfants, allées et venues de femmes en savates. Les porteuses de perles, les porteuses de *pareu*. Le paradis est très à la mode. Peut-être, pourrait-elle s'inscrire à l'université, ou passer son CAPES et devenir fonctionnaire comme tout le monde...

Spleen, envie de rien, *Fiu*.

Elle pense à Tamuera qui l'a giflée parce qu'elle lui a suggéré qu'il était peut-être *raerae*[2], elle trouvait étrange qu'il accepte les cadeaux d'un vieux popa'a, un businessman. Une montre en or, une voiture... Tamuera dit que l'homme va lancer sa carrière de mannequin.

---

[2] Homosexuel

Clara décide de prendre le truck[3] pour aller à Paea, rejoindre son ami sur la plage.

Elle devine qu'il est là. Elle marche le long d'une allée murée, sandales aux mains, les pieds s'enfoncent dans le couloir de sable blanc, il est tard. D'un côté du droit chemin, il y a la route goudronnée, où passent inlassablement voitures et trucks. À l'autre bout, il y a la plage, désertée. Tamuera est seul, il ne porte que son short de bain. Il pratique ses mouvements de la danse du feu, avec un bâton de bois... Le voici donc, l'atlante, le beau, le fier! Il la voit s'approcher, mais continue son exercice. Le bâton d'un mètre cinquante à peu près virevolte d'un bras à l'autre. Clara s'assoit et le regarde sans rien dire. Le jeune homme a un œil au beurre noir. *Son maudit frère qui l'a frappé une fois de plus. Aue...* Le mouvement des bras de Tamuera, les jambes légèrement écartées, fixes, pliées aux genoux, il se tient, statufié. Les pieds dans le sable, enraciné comme un arbre. Il a l'air heureux, ses bras dansant avec le feu, cet enfant du pays. Le lagon est calme, la plage déserte. Ils ont l'air serein, sous le firmament nuageux. Il va pleuvoir.

– Je vais faire partie d'un groupe de danse pour le Heiva[4], tu sais, dit-il fièrement.

– Oui, je sais, tu me l'as déjà dit.

Il s'arrête, pose son bâton sur le sable.

– Dis, tu veux faire l'amour? Il a les yeux qui brillent.

– Tu es fou? En plein jour, comme ça? *Ma'au*, idiot!

– Il va pleuvoir. Il fait orageux. Tu sais bien qu'il n'y a jamais personne sur cette plage quand il pleut. On n'a qu'à aller dans la mer. Faire comme si on nageait.

– Ah, je vois mon coco. Mamie Louise a donc bien raison de dire que tu es un ingénieur des plages.

---

[3] Bus
[4] Spectacle donné durant tout le mois de juillet, pour la fête nationale française.

– Allez, ne te fais pas prier. T'es trop *fa'a'oru pa'i*. C'est ton côté *farani*?

– Dis, tu penses peut-être que les Tahitiennes sont faciles et qu'il faut être Française pour se faire désirer? En amour, la couleur du passeport ne compte pas, idiot! Tu es demi toi aussi!

– On l'est tous, ma chérie…

Tamuera a les yeux qui brillent. Clara ne réfléchit pas trop longtemps. Elle hausse les épaules. Elle se lève et glisse, sans chichi, la fermeture de la robe *pareu* qui tombe à ses pieds. Il commence à tonner, les volumineuses gouttes de pluie s'écrasent sur le miroir du lagon qui se grise et qui commence à s'agiter, comme pour prévenir les amants que leur lit de mer tiédi les attend. Pas un chat à la ronde. Les poissons se cachent à l'abri des coraux. Le poisson-pierre, caméléon du lagon, lui, reste immobile. Les deux jeunes gens observent le lagon. *Tamuera a les yeux qui brillent.* Confiant et naïf comme un enfant qui va ouvrir son cadeau. Ils se tiennent par la main et pénètrent lentement dans la mer. Tamuera lui lâche la main et se met à nager vers le récif.

– Tu vas trop loin!

Les vagues sont fortes. Il revient vers elle, allonge son bras et l'attrape par le coude. Elle se laisse emmener. L'eau est chaude, écumeuse. Clara se sent toute petite dans les bras de cet homme. La mer s'agite, et les gouttes de pluie bombardent le couple enfiévré. Lagon houleux, île vaporeuse de fumées tropicales. Tamuera tient sa femme du moment solidement dans les bras. Le tonnerre gronde et couvre les gémissements de la demie, qui ferme les yeux. Tout s'orchestre naturellement. Tout bouge autour d'elle. Une danse de la nature, une danse des éléments. Une danse de la pluie, pour le danseur de feu. Les hanches balancent au mouvement des vagues. Les jambes s'entrelacent. À perte d'haleine, les soupirs amoureux sont couverts par la plainte océane et

34

l'orchestre pluvial. Tout est gris, mais tout est beau. Les enfants s'embrassent. Le corps à corps se fond dans le paysage orageux.

De retour à la maison de Tipaerui, Clara s'aperçoit qu'il y a du remous chez Mamie Louise. La jeune fille, loin, au bout de cette allée cailloutée, s'arrête et considère l'attroupement en face de la grille. Irina la Marquisienne se retourne vers elle en pleurs et lui fait signe...

_ *Haere mai! Haere mai!... Aue tatou e...* Viens ici, viens donc!... Pauvres de nous!...

Clara soulève sa robe et ôte ses souliers, il faut courir. Elle court, à bout de souffle, elle court. L'allée n'a jamais été si longue. Tout semble se faire au ralenti, comme dans un cauchemar. Il pleut, l'allée est boueuse, les cailloux, les trous, la boue éclabousse ses jambes, la boue gicle sur ses pieds... Hina, rembrunie, est assise par terre, dans la cour, à côté du berger allemand rachitique. Son ami Tico lui tient la main. La petite fille ne pleure pas, elle fixe ses pieds nus, n'ouvre pas la bouche de peur d'exploser. Son regard est plein de tristesse. Elle ne répond pas à Clara. C'est la Marquisienne qui parle :

— Mamie Louise est à l'hôpital

Epuisée, sale, les mains tremblantes, Clara s'agenouille à côté de Hina. Elle passe son bras par-dessus les épaules de la gamine. Elles sont immobiles, le visage blême, le regard fixe. Affligées et muettes.

Pépé Jo, petit homme barbu et trapu, l'homme à tout faire du quartier, s'approche d'elles.

— Toi, va prendre une douche et t'habiller. Toi la petite, ne t'inquiète pas, elle va s'en sortir ta grand-mère. Elle va tous nous enterrer. Quand vous serez prêtes, je vous emmènerai à l'hôpital. Tout ira bien, *'a ita pea pea!* Il ne faut pas vous en faire!

De retour de l'hôpital, Clara et Hina allèrent s'allonger sur le lit de l'absente. Clara pense déjà au lendemain. Quand tous les enfants adoptés de Mamie Louise viendront réclamer leur part d'héritage, ce qui ne leur est pas dû. La France a ses lois, mais à vingt mille lieues de chez elle, elles ne servent à rien, ou si peu. L'adoption traditionnelle n'est jamais légale. Clara est la seule héritière légale *selon la France,* mais il va falloir régler les comptes avec les sept autres, où ils pourraient aller faire un tour à Papara, chez le sorcier, pour lui jeter un sort... Clara pense aux dettes de la grand-mère. Il ne restera plus rien, de la maison, des terres. Elle ne veut qu'une seule chose. La petite Hina semble dormir à poings fermés.

Clara se lève et observe le portrait de sa grand-mère. *Je suis dans les vignes du Seigneur.* Elle le décroche. « *Ça et son certificat de naissance, ils ne me le voleront pas. Ils peuvent tout prendre, le sang qui coule dans mes veines, c'est le sien, ça, ils ne l'auront pas* ». Sans emploi, sans argent, elle ne pourra pas s'occuper de Hina, la dernière adoptée. Celle-ci ira vivre chez Tico. « *Les enfants, chez nous, peuvent aller de famille en famille. Pourquoi la France veut-elle choisir où nos enfants doivent boire le lait?... »*

– Clara, j'ai peur. Tu crois qu'elle est vraiment morte Mamie Louise? Je sens encore sa présence dans la maison.

Les spectres de l'île aux placentas reviennent aussitôt après la mort, pour rendre visite à la famille. Ils ont, dit-on, quarante jours pour nous tourmenter. C'est la croyance, une des nos croyances.

– Non, bébé. Elle rit. Elle boit. Elle vit encore, dans les vignes du Seigneur...

– Je peux lire *Autour du Lagon Bleu*? Je n'ai pas sommeil.

– Vas-y, je t'écoute.

La fillette va rapidement chercher le vieux manuel de lecture qui date de 1968 et rejoint son aînée sur le lit.

« Pour le repas du dimanche,
c'est Mareta qui prépare le poisson cru.
Elle coupe les petits dés de bonite, de thon,
De *ature*, de *orare* dans du jus de citron.
– Dépêche-toi Mareta! lui dit sa mère.
Maeva, Marie et Mireta arriveront bientôt de Papara.
Râpe vite le coco!
Elle râpe vite, si vite que… »

Un craquement soudain de la charpente du lit et la jeune
fille cesse immédiatement de lire. Les pieds et le bout du
nez froids, le corps et l'esprit glacés par la peur, Clara ne
trouve pas les mots pour rassurer l'enfant. Certainement,
le sommeil sera long à trouver. Clara est réveillée à
plusieurs reprises par les secousses du corps en pleurs de
Hina. Elle voit, enfin, la grand-mère dans son rêve.

Louise! Grand-mère de cœur, de sang,
J'ai survolé les plaines arides et désertes, pour te retrouver cette nuit.
Le vent me giflait la face, je survolais à une vitesse surprenante, un
pays que je n'avais jamais vu. Des plaines à la terre rougeâtre et
ocre. Des terres sans verdure qui nous sont inconnues. Mais je
n'avais pas peur. Et puis je suis arrivée dans le Noir, l'Obscurité,
le silence.
Tes mots, ta voix, sont sortis de l'ombre, tu criais mon nom, toi,
ma grand-mère. Tu m'appelais au secours, tu pleurais les mots! J'ai
tendu ma main dans le Noir, et j'ai vu.
J'ai vu des lignes rouges s'assembler, dessiner ton visage. Toi, ma
grand-mère de cœur et de sang. Je t'ai vue dans l'autre monde.
Tu criais mon nom, et moi, je voulais t'attraper, te toucher avec ma
main, toucher ce visage de ligne rouge criant la douleur. Je voulais te
sortir de l'obscurité, te tirer à moi! Le désir trop puissant,
intenable, tes mots qui m'appelaient, insoutenables, je me suis
réveillée. Choquée de ton appel au secours.

Je sais, je t'écris ces mots, je sais que tu ne voulais pas mourir, tu voulais me confier quelque chose, des mots que tu as emportés avec toi, dans le Noir. Des mots que je n'entendrai jamais.

Un jour, grand-mère, je parlerai la langue de mes aïeux, ta langue à toi, le tahitien, même si je t'écris aujourd'hui dans la langue du père. Un jour peut-être, je ferai à nouveau ce voyage que tu m'as offert en rêve, pour te retrouver. Alors, tu me diras ces mots ou je les devinerai. Je te chercherai, Louise, je te chercherai jusqu'à la mort. Je te retrouverai dans notre langue!

N-B T. : Te Ma'ohi before the Eternal

Le 9 juin 2004, à Faa'a

Herenui, Roselyne et Clara-Aroatua sont assises autour d'une table, la table de cuisine, *table à palabres*, recouverte d'une nappe en polyester fleurie. Trois verres de limonade, glaçons. La politique est le sujet du jour, bien actuel avec l'attente des élections du nouveau président de la Polynésie française. Roselyne raconte les malheurs de son grand-frère, instituteur sur l'atoll de T.

– Le maire de l'île est celui qui tient le seul commerce. Il fait payer ses bouteilles d'huile à des prix atroces. Quand ma belle-sœur est allée le voir, elle lui a dit qu'elle ouvrirait elle-même son épicerie s'il continuait à arnaquer le peuple... Depuis, ils n'ont que des problèmes.

– Ah... Mais c'est comme ça partout, qu'est-ce que tu veux y faire. Et puis, quelle idée de se mettre le maire d'un atoll à dos... L'espace est plutôt restreint, il vaut mieux essayer de vivre en paix. C'est comme ça partout, ici.

– Comme ça partout? Je ne t'ai pas raconté la moitié de l'affaire! Les habitants se sont retournés contre eux, parce que ma belle-sœur est " anti-Icks " et le maire a sa carte du parti...

– Tu n'es pas un peu parano, non plus?

– Ecoute sœurette, ils ont versé de l'essence sur mes nièces, des petites filles de cinq et six ans. Mon frère a toujours la cigarette au bec. Heureusement qu'il les a senti arriver!

Grand silence. On entendrait une mouche voler. Les deux autres attendent et fixent la narratrice.

– Ce n'est pas tout. Le soir, quand il rentrait de l'école, tous ses meubles étaient sortis de la maison... Mais le pire, c'est qu'il y a une jeune fille de quatorze ans qui a accusé mon frère de l'avoir violée.

Pause silencieuse. Roselyne fixe son verre, le regard brouillé, perdu. Les deux autres, dubitatives, se taisent. Il est malvenu, de prendre parti maintenant, le pays étant en pleine crise politique. Le soi-disant attentisme des autonomistes suspend pour quelques jours encore l'élection de celui qui incarne l'espoir. L'espoir de retrouver les terres en litige de Mamie Louise pour Clara, l'espoir d'une justice impartiale pour Roselyne... Mais s'il est élu, le *tavana*... peut-être que les Français nous abandonneront, comme l'a sous-entendu la ministre de l'Outre-Mer. À ce moment-là seulement, nous pourrons régler nos comptes, sauf si les opposants tournent leurs vestes.

Cette opinion silencieuse est rectifiée aussitôt par Herenui qui annonce, comme si elle dévoilait un secret d'État! :

– « Il n'y aura pas de chasse aux sorcières », c'est l'Homme de l'Ombre qui me l'a dit... Il m'a dit... « Tout est préparé, la Constitution, tout. C'est avec l'aide de professeurs d'Universités *de France*, des économistes, des sociologues... que *nous* avons tout préparé. Ils nous soutiennent, ils sont avec nous! Nous y arriverons, avec l'aide des socialistes : le député Hache a dit dans un discours à l'assemblée territoriale « Nous sommes pour l'autonomie la plus complète ». Ça veut bien dire l'indépendance, non?... « Il n'y aura pas de chasse aux sorcières », m'a-t-il dit, « car on aura d'autres chats à fouetter, le pays, c'est ça qui compte... », m'a-t-il dit.

Roselyne, agacée par l'obsession de Herenui pour cet « Homme de l'Ombre », reprend son histoire.

– Six mois d'attente, de procès, le maire ne se montrait jamais, le jugement était tout le temps retardé. Mon frère n'a pas assez d'argent pour prendre un avocat, et puis il dit qu'ils sont tous du parti majoritaire, qu'ils ne le défendraient pas de toute façon... Eh bien, figure-toi que la jeune fille a éclaté en sanglots *et* elle a avoué aux

42

gendarmes que le maire lui avait donné de l'argent pour qu'elle invente cette histoire de viol!

– Qu'est-il arrivé au maire? demande Herenui.

– *Rien du tout!* C'est un ami du président, paraît-il, il a sa carte du parti. Par contre, la trace est restée dans le dossier d'enseignant de mon grand frère et comme par hasard, il se fait inspecter à l'improviste. L'inspecteur l'a trouvé mauvais. Arrêté pendant trois mois et sans salaire, avec ses enfants... Mon frère ne parle plus, il est dépressif, il ne tenait plus sa classe en ordre. Il ne croit plus en rien. Et notre mère... *Aue*! Elle s'inquiète du sort de son fils...

– *Droits de l'Homme*!... Il faut que ça change, renchérit Herenui en colère. Roselyne se tait. Silence.

Passant du coq à l'âne, Clara essaye de changer de sujet le plus naturellement possible

– Mamie Louise m'avait trouvé un travail de secrétaire à l'assemblée...

Chacune pense et juge en silence. Quand les mots s'échappent, ils perdent leurs substances, deviennent idiots. Les phrases prononcées cachent vulgairement le désarroi ou l'ennui. L'impuissance n'est plus sociale, elle est aussi dans l'expression. Un peu en tahitien, mal maîtrisé, un peu en français, *un peu mieux*, on parle. Pourtant, on est heureuse d'être là, attablée, avec les autres. Seulement, on aimerait être quelqu'un, faire quelque chose pour le pays. Mais quoi. Alors, on parle des histoires de cul du président, de la scène d'agression à l'assemblée territoriale, des deux drapeaux. Un pour la France, un pour le pays. Sans comprendre vraiment qui est qui, et pourquoi on a deux drapeaux, au lieu d'un seul comme tout le monde. Et puis, on s'emporte et on parle en toute confiance, puisqu'on est *personne*, que si les murs ont des oreilles, ça leur est probablement égal.

– Mais, vous les indépendantistes, de quoi vous plaigniez-vous? Grâce au président, nous avons notre

drapeau tahitien, notre hymne, notre citoyenneté!
s'exclame Clara.

– Sœurette, répond Roselyne, le drapeau, c'est celui du
président, l'autonomiste. Ce n'est pas le nôtre. À quoi
sert-il? Nous sommes des Français ou non? Il faut
choisir. Ces hommes pensent-ils qu'ils vont nous
redonner notre dignité en nous construisant une identité
sur mesure? Notre hymne... Personne ne se lève
lorsqu'on le chante. Notre citoyenneté, c'est juste une
couverture de livre et le livre, il est Français.

– Nous-mêmes, nous ne savons plus ce qu'est la
différence entre « autonomie » et « indépendance ». Il
faudrait lire le livre de Sémir Al Wardi, mais c'est trop
complexe pour moi. Autonomie, indépendance... *N'est-
ce pas un seul et même mot dans notre langue*!?

Elles se lancent des regards interrogateurs... Comment
dit-on « indépendance » en tahitien déjà?... Ont-elles
oublié ce mot, qu'elles n'ont jamais entendu leurs parents
prononcer dans la langue vernaculaire. Surprises qu'il
existe, qu'elles ne savent pas comment dire
« indépendance » dans leur langue mère. *Ti'amara'a*,
indépendance, autonomie. *Ti'amara'a*, un seul et unique
mot en tahitien, quand il en existe une centaine pour
exprimer le regard. Les mots indépendance, autonomie,
deux mots bien français, mots qui nous viennent de la
France, qui décide qui nous sommes et qui décidera si
elle doit nous l'accorder un jour, cette indépendance.
Finalement nous serons des assistés jusqu'au bout?
Ti'amara'a, voici le mot qu'elles cherchent, le mot qui
manque.

D'autres mots simples se délivrent, s'enchaînent, se
déchaînent, juste pour compenser l'oubli. Herenui répète
les mots de l'Homme de l'Ombre :

44

L'autonomiste, c'est un homme qui roule avec un chauffeur qui s'appelle la France : c'est le chauffeur qui décide de la route à prendre, qui paye l'essence. La voiture est neuve, climatisée, spacieuse. L'autonomiste est riche et dépense son argent de poche dans l'illusion d'être libre. Il mange son pain blanc et le peuple est plus ou moins heureux, il n'est pas à plaindre.

L'indépendantiste, lui, n'a pas de chauffeur. Il conduit sa voiture lui-même. Elle est un peu cabossée, rouillée ici et là. Il va moins vite, mais il choisit lui-même sa route. Il paye son essence comme il peut. Et s'il n'en a plus, il la confectionne lui-même, avec de l'huile de coco mélangée à du carburant! Ça sent un peu mauvais, mais la voiture roule! La vie n'est pas aussi facile, mais il préfère vivre libre et digne, plutôt qu'en laisse et riche. Ses laissez-passer, il les obtient au mérite.

L'Homme de l'Ombre

Il est assis sur un banc, le coude gauche posé à l'angle de la table en bois, la main droite sur la cuisse droite, à l'ombre de sa terrasse cimentée, dans l'arrière-cour de sa maison, qui de front, ne paye pas de mine. On passerait à côté sans la remarquer. Pourtant, c'est un homme d'affaires, un architecte, qui a fait ses études aux États-Unis, il vit aisément. On ne sait pas grand-chose de lui et on n'ose pas lui demander. Son physique est impressionnant. C'est une tour. Il est grand et robuste, les mains larges, les pieds plats, les membres solides. C'est un être sculpté dans du bois. Sa peau de bronze est tannée comme du cuir. Sur son visage, les marques du temps se confondent avec celles de son caractère : on n'ose pas transgresser son passé. L'homme ne sourit pas, ou peu, comme si une mouche l'avait piqué. Ses paupières laissent à peine voir le blanc de l'œil. Les cheveux gris et raides sont souvent protégés par un chapeau tressé pandanus. Il a le nez *polynésien*, la bouche épaisse et longue, les lobes des oreilles élargis. Il a la cinquantaine bien remplie, peut-être plus, mais pas de femmes, ni d'enfants - ou du moins d'enfants déclarés. Il n'a pas le temps, dit-il. Demi Chinois, demi Tahitien, il est demi, comme tout le monde. Mais certainement pas demi Français.

La Nature a ironiquement doté ce farouche indépendantiste d'un visage de forme quasi hexagonale, à l'image du territoire ennemi, le menton pointu, les mâchoires écartées, le front large et dégagé. Sous la paupière tombante et *fiu*, un regard immuable qui dit sans cesse *Je vais casser la baraque*, que ce soit au petit matin, en lisant le journal, que ce soit assis sur un banc dans le temple, écoutant le sermon du prêtre. L'Homme de l'Ombre avec sa tête de boxeur ma'ohi et son

47

expression je vais casser la baraque glisse maladroitement des sous-entendus sexuels aux *vahine* qui lui tapent dans l'œil. Les plus dévergondées captent de suite, les plus naïves font les yeux ronds en se demandant ce que le vieux veut exactement, les plus "intellos" le toisent comme un sauvage qui sort de sa brousse. Sans gêne aucune, si une paire de seins lui plaît, il peut la fixer pendant au moins deux minutes, immobile, comme s'il était en pleine méditation.

Son ami l'envoie partout dans le Pacifique, les îles Fidji, la Nouvelle-Calédonie, la Nouvelle-Zélande. Les États-Unis, la Suisse. Suspicieux, quand on lui pose des questions trop gênantes, il commence à dévier la conversation habilement. « Il faut décoloniser les esprits », dit-il. C'est un faiseur de contacts. Il va partout où le président se montre, il lui fait de l'ombre.

Un jour, le président lui a serré la main et s'est retourné vers ses ministres :
– Si vous étiez aussi téméraires que celui-ci, je l'aurai déjà gagnée, ma campagne.
L'Homme de l'Ombre a souri, mais du coin de l'œil, sans se prendre au jeu de la flagornerie mal placée de l'homme politique.

Herenui voudrait bien gagner ses faveurs, mais il se méfie. *Elle pourrait être sa petite-fille, que peut-elle bien lui vouloir cette popa'a?* C'est *la mouche du coche*! À chaque petit évènement politique, elle s'empresse chez lui, elle fustige les opposants comme s'il en tenait de sa propre vie. Mais elle prend soin de rendre visite quand elle sait que sa famille n'est pas là. Elle lui apporte du *po'e*, ou d'autres mets, car elle sait que *l'Ours* est bon mangeur. Elle porte les robes courtes décolletées et lorsqu'elle s'assoit en face de lui, elle veille à croiser et décroiser ses jambes le plus naturellement possible. Il la trouve trop blanche.

Aujourd'hui, la jeune femme a mis une robe faite sur mesure, qui lui serre la taille. Un tissu *pareu* rouge et jaune d'un mètre, qui s'arrête juste au-dessous des fesses; de la dentelle de coton s'étend ensuite sur trente centimètres, avec une fente qui dévoile la cuisse gauche. De la dentelle qui voile la peau en dévoilant les formes. Il se demande combien de temps il va pouvoir se retenir. Il se demande jusqu'où elle ira. Il est vieux mais il n'en est pas moins homme.

– Tiens, lis ma lettre! lui dit-elle, confiante.

Ma lettre à Madame la ministre de l'Outre-Mer,

Il est facile, de la métropole, de faire du chantage à tout un peuple, sans que cela fasse la Une des journaux français. Il est facile, de la métropole, de faire passer une île pour un Club Med destiné à satisfaire le besoin de soleil, de plages blanches, de Bleu.

Oui, il est bien facile d'enfreindre les droits de l'Homme à vingt mille lieues de la France, même si ce Territoire porte le drapeau tricolore.

Aux Français avec qui je suis allée à l'école, à ceux qui m'ont enseigné l'histoire de la France sans rien m'apprendre de mon pays, à ceux que je côtoie, à ceux que je lis, j'écris haut et fort que la couverture médiatique du comportement irrévocablement reprochable et honteux de la ministre de l'Outre-Mer, je crie que si l'on s'en prend à la volonté d'un peuple, on n'aura rien appris de l'Histoire.

Comment ose-t-on faire un chantage aux Tahitiens, qui ont laissé se dérouler sur leur territoire, des expérimentations nucléaires ? Cent quatre-vingt treize essais dans notre océan, notre atmosphère, la source de nos vies! Si ce n'était pas dangereux, pourquoi la France n'a pas fait exploser ses bombes dans le Massif Central? Sans compter que ça ne la dérangeait pas, la France, d'employer des enfants de l'âge de 12 ans à Mururoa! Il n'est pas dans la nature des Tahitiens de vouloir poser des bombes dans les magasins Tati, il n'est pas dans la nature des Tahitiens de vouloir

49

détruire : pourtant deux contingents de CRS ont été déployés sur l'île le 3 juin 2004 - quatre cents CRS.

Madame la ministre, dans un discours au Tahitiens, vous avez annoncé que les crédits envoyés par la France seront supprimés s'ils ne se mettent pas aux côtés de l'ami du Président de la République, contre le parti indépendantiste. De quel droit? Où se trouve la liberté du citoyen de voter selon sa propre conscience? Comment une ministre peut-elle menacer tout un peuple à des fins politiques? Il est facile de la métropole d'attiser la colère et d'humilier les Tahitiens de cœur et de sang. Madame la Ministre a bien maladroitement fait son discours.

Pensez-vous vraiment que les Tahitiens vont digérer ce chantage? Pour quelles raisons le droit de vote a-t-il été instauré dans mon île, si l'on ne peut voter que selon la volonté de Madame la ministre?

Il est facile Madame Exce, de traiter les Tahitiens comme des enfants, quand on parle de la métropole.

À Madame la ministre, qu'on ne me parle plus, à moi, de la France comme le pays des droits de l'Homme, car il n'existe pas! « Séparer un peuple de sa langue est crime », a écrit une femme de mon île. Menacer un peuple de la misère économique et sociale, si celui-ci ne se met pas aux côtés du parti français, cela dépasse l'entendement.

Si l'on n'accorde pas aux Tahitiens de cœur et de sang le respect qu'on leur doit, pourquoi leur avoir donné la citoyenneté et le droit de vote, droit fondamental. Madame la ministre je vous demande de réfléchir aux conséquences humiliantes de vos paroles, dans l'intérêt des Tahitiens et des Français.

Si vous souhaitez que les Tahitiens restent Français, traitez les comme tels et non pas comme un peuple de colonisés qui survit grâce à vos perfusions monétaires et vos clubs de vacances. Laissez-les choisir. De même, si vous leur accordez l'autonomie, laissez-les gouverner. Si vous les laissez dissoudre leur assemblée, laissez-les voter.

Ôter la Liberté et l'Égalité, vous verrez bientôt que la Fraternité ne voudra plus rien dire.

50

– Ta lettre ne vaut rien. Elle est trop longue. C'est *fiu*!
Elle ne sera jamais lue que par moi. Tu crois vraiment
qu'on va t'écouter? Et puis... Penses-tu vraiment que les
Tahitiens ont «une nature» différente des autres êtres
humains? C'est un peu raciste je trouve, mais je
comprends ta colère. Avant d'écrire, vérifie tes sources.
La manipulation médiatique peut être très mesquine en
pleine crise politique... Fais attention aux mots, mais
aussi d'où ils viennent. *Ils sont manipulables, ils sont traîtres.*
Sache que les indépendantistes n'ont rien contre les
Français en général; les Français semblent indifférents à
notre sort, mais en fait, c'est parce qu'ils sont
nombrilistes par nature. Sais-tu que certains d'entre eux
peuvent passer vingt années de leur vie à aller dans le
même endroit pour leurs vacances? La même caravane,
le même camping, sans aucun désir de découvrir autre
chose, d'autres paysages. Il paraît même qu'il existe une
indifférence certaine entre régions de la France : Il y a
certainement des Bretons qui ne sont jamais allés en
Franche-Comté, je t'assure! Alors, je te dis ça... C'est
pour que tu comprennes que si les Français, en général,
ont l'esprit casanier, pourquoi auraient-ils tout d'un
coup, de l'intérêt pour un peuple qui vit à vingt mille
lieues de leurs terres?... Nous aussi, nous pouvons avoir
l'esprit casanier, mais c'est difficile de ne pas s'ouvrir aux
autres cultures quand on se trouve au beau milieu de
l'océan et que l'horizon nous mène inévitablement aux
Latins, aux Américains, aux Asiatiques....
Nous aurions pu jouer la carte offensive, car nous
sommes entourés de pays qui veulent amoindrir
illicitement la puissance géopolitique française.
L'Australie, la Nouvelle-Zélande, les États-Unis, le
Pérou, la Chine... Nous aurions pu obtenir de l'aide et
exporter nos revendications, faire parler de nous, en
dehors de notre territoire. Le terrorisme est un virus

51

réactionnel, mais nous aimons trop nos enfants pour faire souffrir ceux des autres. Nous voulons nous émanciper de la politique paternaliste et désuète mise en place il y a deux siècles. L'ironie de la chose, c'est que la France ne voulait même pas de nous au moment de la signature du Protectorat et nous ne voulions pas d'eux. Pomare avait fait six demandes de protectorat aux Anglais!...

L'Homme de l'Ombre fait une pause, il roule une cigarette. Il reluque sans gêne les cuisses d'Herenui; il ne prend même pas la peine de la regarder dans les yeux. Comme elle boit ses paroles en silence, il continue l'harangue.

– Tu te plains, dis-tu, de la couverture médiatique des évènements de cette semaine? Ma fille, orgueilleuse, ce n'est pas de la couverture médiatique, c'est de l'indifférence médiatique. Il ne faut pas se plaindre, moins on parle de nous, mieux c'est. On est plus libre, moins exposé aux critiques. Tu n'as qu'à suivre RFO, ils ont toujours plus à dire sur les autres communautés d'Outre-Mer, très peu sur nous. Tu n'as qu'à aller étudier en France, tu verras que nos écrivains ne sont pas lus. La France a donné des bourses d'étude aux Noirs, aux Antillais, Senghor, Césaire... Ça leur a suffi : il ne manquait plus que les Océaniens s'intellectualisent à leur tour, rêvent à l'indépendance et leur dressent un procès sur l'ethnocide! À mon époque, du moins, les bourses n'allaient qu'aux demis, ou aux Français. Maintenant, ça a changé bien sûr, mais la francophonie littéraire s'arrête à notre récif... Les Français sont plus intéressés par ce qu'ils n'ont pas, *par ce qu'ils n'ont plus*, que par ce qu'ils possèdent. Beaucoup d'entre eux ne font pas encore la différence entre Haïti et Tahiti... Tu sais, même lors de mes voyages aux États-Unis, j'ai rencontré un professeur de français renommé qui pensait que nous étions indépendants! Lorsqu'elle s'est mise à glisser le mot « Haïti » à la place de « Tahiti » dans notre dialogue, j'ai tout simplement ignoré le lapsus barbant... Rien ne bouge que ses lèvres. Il la fixe, elle est gênée et décide de regarder son chapeau.

— Qu'est-ce que tu as sur le pied? Demande le vieux.

— Un "tatou", une salamandre. Elle représente la sagesse, répond la jeune femme fièrement.

— Tu es sûre de ça? Qui a décrété que la salamandre c'est la sagesse, ton tatoueur? Depuis quand les lézards sont sages?

Herenui se tait. Mais quelle mouche l'a piqué, l'ancien? Il a bien un regard de lézard, lui!

— Hé-é-é! Le vieux remue la tête de gauche à droite en signe de désapprobation. Herenui comprend, les ébats romantiques avec le vieux ne sont pas pour aujourd'hui.

— Dis, j'ai une amie qui n'a pas où dormir. Elle pourrait faire ton ménage et tout, s'occuper de ton linge et cuisiner. Elle a juste besoin de crécher quelque part.

— Son nom? Demande-t-il calmement.

— Clara Popé de Tipaerui.

— De la famille des Popé? Et pourquoi elle ne va pas vivre avec sa famille, cette fille?

— Sa grand-mère est morte, il ne lui reste plus rien, les enfants *fa'a'amu* de la grand-mère ont investi la maison. Elle n'a plus où aller. *S'il te plaît...* Herenui décroise ses jambes, elle pose sa main blanche sur la cuisse de l'homme.

Il n'est pas trop d'accord...

Clara est donc arrivée tôt le lendemain matin, avec son sac à dos, le portrait de Mamie Louise dans un sac en plastique et un autre bagage à main. Pour sa première rencontre, elle a attaché ses cheveux en chignon, mis un peu de rouge, *les Tahitiens n'aiment pas les femmes trop*

53

maquillées, dit-on. Elle a mis la robe *pareu* bleue et verte que sa grand-mère avait fait coudre par la Chinoise. Elle n'a pas assez d'argent pour le parfum, mais sent bon le *monoi.* Elle se tient à la porte d'entrée. Elle n'a pas besoin de frapper, c'est déjà ouvert. L'homme assis toise la jeune femme. « Entre donc ». Elle lui tend la main, elle ne tente pas la bise.

– Tu sais, lui dit-il sans la regarder, en roulant sa cigarette, ta grand-mère aurait préféré crever de faim plutôt que de venir chez moi. Elle était fière comme un coq et nous prenait, nous les indépendantistes, pour des sauvages, des terroristes.

La jeune femme lui répond sèchement.

– Laisse donc les morts en paix!

Il scrute ses pieds, ses mains.

– Où sont tes tatouages, à toi... Tu me les montreras? demande-t-il d'un air coquin. Elle lui plaît.

– Ce sera difficile, mon vieux, mes tatouages, je les porte sous la peau.

Vexé, l'homme se lève et lui fait signe de la tête pour indiquer la chambre.

– Pas d'amis chez moi, pas de *pakalolo*⁵, pas de fête. T'as compris?

Le manant s'installe dans son fauteuil en cuir et allume TNTV. Chez lui, des livres partout. *Orientalisme, Tahiti et la France, le partage du pouvoir, Tahiti colonial, Le Sale Petit Prince,* toutes les publications de Bruno Saura, les romans d'Alex du Prel, Chantal Spitz, Titaua Peu, Michou Chaze, Louise Peltzer, Jimmy Ly, Flora Devatine... Ce qui a été écrit sur l'île, ce qui a été écrit dans l'île. Elle reconnaît aussi *Cannibale,* et d'autres écrivains de la métropole... Elle s'arrête sur un nom qu'elle ne connaît pas, qui ne sonne pas français! Elle lit à voix haute :

– *La disparition... de la langue française.*

---

⁵ Cannabis

La page soixante-trois est cornée. Debout, le livre dans les mains, pendant que l'ancien la fixe silencieusement en fumant sa cigarette roulée, elle ouvre et murmure : *S'il a insulté la France, déclare-t-il dans son français approximatif, prends-le, monsieur le Directeur, ce garçon et fais de lui ce que tu veux...*
L'ancien l'arrête.

– Parfois, il arrive qu'un écrivain d'un pays étranger raconte notre histoire sans le savoir. La résurrection d'une langue... Une histoire d'amour aussi... Je ne l'ai pas terminé. Je préfèrerai que tu le remettes à sa place.

Elle est surprise qu'un ancien, qui parle le français avec un accent à découper au couteau, ait autant de livres chez lui. Une pile de magazines de *Tahiti Pacifique* s'étale de la chambre aux toilettes. Un à gauche, un à droite. Elle fait le tour des lieux, voit une bible bleue sur la table de chevet, et un magazine *Playboy* à demi camouflé par des draps défaits.

– Ne va pas dans ma chambre!

Pour tuer le vide silencieux, la jeune femme lance une banalité sur le magazine critique :

– Ce journaliste est le plus controversé, il n'est pas très ami avec le président.

Il soupire, elle commence à lui plaire.

– Le président n'a pas d'amis. Il ne s'entoure que de sujets. Le copain de ta grand-mère ne restera plus longtemps dans son palais... Le ton s'est radouci. L'Homme de l'Ombre se tait, tellement immobile dans son fauteuil, qu'on pourrait croire qu'il a été vendu avec!

Samedi soir, le Papeete nocturne est scintillant et *multicolore*. Cristal prismatique en plein océan. Dans cette partie du quartier, les « Brésiliennes », hommes ou femmes, rasées, jupes courtes en faux cuir et talons aiguilles, longent le trottoir, en se présentant comme produit local aux touristes sexuels de la nuit. Le casino de Bernard le Breton est ouvert à discrétion, une chanson de Cab Calloway en sourdine, les joueurs de billard en débardeurs et jeans usés boivent et fument dans leurs salles interdites *aux moins de 18 ans,* on place les boules *multicolores* en respectant l'emplacement des mouches de la table de billard, on observe blasé les posters de femmes nues punaisés aux murs, celui qui a le plus de succès est une page d'un *Playboy* qui expose Miss Tahiti dans sa tenue d'Eve, Miss Tahiti qui fut aussi Miss France, symbole de beauté et réussite accomplie de la francité tahitienne... Ou de la " tahitianité " française, cela dépend de quel côté on se trouve.

Deux sexagénaires attendent patiemment au bar du club Kikiriri, elles attendent, le regard doux, ceux qui boiront assez pour les ramener à la maison ce soir. On n'attrape pas les mouches avec du vinaigre, pense la célibataire... Le lendemain matin, les deux frères Gallipard de Mahina, un district dans la montagne, beaux gosses dans leur vingtaine, se réveilleront sans doute à poil dans les lits des retraitées et l'aîné secouera son frère pour filer en douce pendant que l'une des vieilles préparera le café. Les Tahitiens n'aiment pas « faire l'amour avec les *Tupapa'u,* faire l'amour avec les esprits », l'onanisme n'est pas populaire, on préfère la promiscuité à tous les âges... Ce soir, ces deux femmes assises sur ces hauts tabourets, le dos creusé et le derrière protubérant, les visages avantagés par la lumière tamisée du night-club et d'autres artifices cosmétiques, sirotent leur *cocktail coco,* marquant les pailles du rouge gras de leurs lèvres. Sur la scène à l'éclairage cosmique, un trio local se déhanche sur le rythme " éléctrogothique " d'une chanson " remixée " de l'Islandaise Björk. *Violently happy 'cause I love youu...* Éclatées et à demi ivres, Herenui, Roselyne et Clara se mettent à *" tamurer ",* même si la mélodie n'est pas régionale. Toute la scène pourrait être lourde de banalité, ennuyante. Les passants, les flâneurs, les flambeurs et les buveurs sont sous l'emprise enivrante de la douceur humide d'une nuit lunaire. Contaminés par l'esprit *"fêteur"*, sous une constellation interminable qui vous donnerait l'impression d'être seul sur terre. Des mots anglais, allemands ou français à peine audibles, camouflés par la musique s'entremêlent dans ce *no man's land*. Homos, hétéros, riches, pauvres, locaux, internationaux, tous réunis car ils le veulent, car ils n'ont pas le choix. La barrière océanique les oblige à une contiguïté, paradisiaque ou infernale. Certains se reconnaissent et d'autres s'ignorent.

La sève flue chaudement dans les veines de Clara. C'est sans doute une ivresse alcoolique, mais elle a envie de retrouver l'ancien, de le rendre heureux, de se coller à lui. Elle a bu. Un Japonais veut la raccompagner, mais elle l'envoie balader.

Elle titube dans la cour de l'ancien, l'Homme de l'Ombre. La lune est pleine. Clara la fixe. Elle veut y être, sur la lune. Après une minute immobile, elle décide d'aller pisser à côté du papayer, juste au devant de la maison. Elle baisse sa culotte, elle s'agenouille comme quand elle était enfant. Le jet ruisselle soulageant la vessie, creusant puissamment la terre fertile et noire entre ses deux pieds. Elle essaie de pisser comme une mouche, sans bruit. Elle a la conviction que c'est le meilleur moment de sa journée. Clara est en pleine ivresse. Elle se retient de rire. Elle remonte sa culotte. Décidée, elle se dirige quand même d'un pas chancelant dans la maison, vers la chambre du vieux. « Je vais baiser ce soir. Je vais lui montrer qu'on ne me le fait pas à moi, le coup du patriarche autoritaire. Je vais le faire fondre, l'ancien, lui faire bouffer du plaisir!... Sans être trop vulgaire! » murmure-t-elle cette fois.

Elle ouvre la porte doucement. Tout est noir, il ronfle. Pieds nus, elle s'avance, comme une chatte hésitante. Elle enlève sa robe, dégrafe son soutien-gorge de dentelle noire et fait glisser sa culotte à fleurs en coton bleu. Il ronfle. Elle soulève doucement les draps blancs et s'allonge près de l'homme assoupi. Il ronfle, le dos tourné. Elle se plaque à lui, la poitrine, le ventre, le pubis rasé tapissent le dos large et long du dormeur. Le ronflement s'arrête. Il ouvre les yeux, mais ne bouge pas. Elle glisse son bras fin pour l'enlacer et caresse la peau encore bien lisse du ventre mâle arrondi. Elle laisse descendre sa main vers le pubis.

– Ça suffit! Mais qu'est-ce que tu fais? Tu as bu?! Laisse-moi dormir... dit-il sans grande conviction. Il la repousse avec un mouvement léger de l'épaule droite.

La jeune femme, nue, petite, est bien décidée à exciter cet homme qui fait près d'un mètre quatre-vingt-dix, et au moins... cent vingt kilos de muscle et d'autres choses!... Elle veut l'aimer, lui, pour ne plus avoir peur de son regard, pour ne plus craindre sa prestance. Elle veut savoir, si, lorsqu'il fait l'amour et qu'il jouit dans les bras d'une femme, il perd de son charisme, s'il peut être vulnérable.

Elle saisit le membre viril et circoncis, elle commence à le masser. Il durcit, incontrôlable. Le dos se retourne, *te tumu*, le tronc, *l'homme-tronc* se penche sur elle sans rien dire. Sa main large couvre à elle seule le ventre de la *vahine* impudique. *Elle a dix-neuf ans, j'en ai soixante,* se dit-il. Il est surpris au toucher de l'absence de pilosité de son mont de Vénus, elle se met à rire.

– Ne fais pas l'innocent, j'ai vu ton magazine tout à l'heure, n'as-tu jamais vu une femme épilée?!

Elle l'ennuie. Si seulement elle pouvait se taire, il oublierait qu'elle est si jeune. Il l'embrasse doucement dans le cou. Il a peur de l'écraser, de la briser. Alors il la caresse lentement, sa poitrine ronde, ferme, ses côtes, sa

58

taille, ses hanches... Empressée, elle guide les doigts jusqu'aux lèvres déjà humides. Le corps est brûlant. Il est ému. Elle est agacée, elle veut son plaisir tout de suite. Elle crie quitte à réveiller tout le quartier :

– Mais enfin, mon vieux, c'est comme ça que tu baises!

Piqué par la violence de ses mots, il la pousse du lit, elle roule et tombe par terre, sur le parquet. Il lui lance sèchement des mots tahitiens, des mots qui résonnent et sortent de l'obscurité. Elle les reconnaît, sans les comprendre. Elle se lève, la tête lui tourne, plus à cause de l'alcool que de la chute ; elle va s'allonger dans le petit lit de la chambre d'ami. Elle traverse le couloir dans le noir, en longeant le mur, la main guidée par le contreplaqué.

Aussi têtue qu'une mule, elle crie de la chambre d'ami :

– Tu ne me connais pas! Moi, je suis peut-être demie, mais j'ai du sang corse, breton et tahitien dans les veines. Moi! J'ai du sang indépendantiste dans les veines! Je peux me faire jouir *toute seule*! Je n'ai besoin de personne et surtout pas d'un vieux Chinois comme toi!

Les nerfs à vif, l'ancien, encore en pleine érection, confus de ne plus savoir s'il la désire ou s'il veut la frapper, l'ancien se lève, prend son pantalon, non pas pour s'habiller mais pour en retirer la ceinture, bien décidé à corriger l'audace de la jeune femme. Il se rue dans la chambre d'ami, sans prendre la peine d'allumer le couloir. Il se retrouve debout face à elle qui, allongée à travers le matelas, jambes écartées, les talons des pieds coincés dans la charpente du lit, prend son plaisir à deux mains, et frotte le clitoris humide avec son index.

– Je suis occupée. J'ai besoin de concentration, Laisse-moi tranquille! Ordonne-t-elle.

Il reste figé, la ceinture roulée dans la main. Il se reprend vite.

La jeune femme se laisse porter dans ses bras, l'effet de l'alcool évaporé. Elle se laisse emmener dans la chambre

59

de *l'homme-tronc*. Les orgasmes, non simultanés, seront partagés dans la douceur et les caresses. Les gouttes de sueur de son front à lui, rouleront le long de ses joues à elle. La moiteur de sa peau, le goût légèrement salé de sa poitrine, la pâleur de ses seins aux mamelons roses, aux contours tatoués de mauve, comme il n'en a jamais vus de sa vie! Les gémissements de Clara qui ne veut plus se décoller de lui... Elle lui glisse des mots français à l'oreille, certains vulgaires qu'il préfère ignorer, et d'autres plus doux. Il lui dit de se taire, ne lui parle qu'en tahitien.

La lune aura bientôt disparu, que les deux êtres seront épuisés. Clara dormira à poings fermés, la tête au chaud, au creux de sa poitrine d'homme. Mais lui ne fermera pas l'œil de la nuit. Au matin, lorsque les persiennes de sa chambre filtreront les premiers rayons de soleil, l'ancien fixera le plafond des yeux. D'une douceur désarmante, l'Ours murmure, cette fois-ci, en français :
– Si les demies reviennent faire l'amour aux vieux Tahitiens comme moi, au lieu d'aller le chercher chez les Français... L'indépendance est proche.
Il sourit de sa bêtise. Il est bien conscient que la majorité est métissée et que ces identités « Tahitiens », « Français » sont devenues d'abstraites identités culturelles...
Il se souvient des Françaises et des demies de son adolescence. Comme il les désirait parfois. Mais les demies ne le regardaient pas, lui, qui n'avait pas eu de bourse d'études, et les Françaises... Il en avait bien aimé une, mais elle voulait juste goûter du local. Elle ne s'est jamais montrée avec lui, son accent *à lui* et sa démarche de boxeur, ses traits typés, *son français à lui*, ses « r » roulés, lui faisait honte à elle, la petite bourgeoise de Paris. Avec tous ces légionnaires, ces militaires, ces Français... Le métissage, fruit de l'arbre d'une espèce

nouvelle, arbre planté dans cette terre millénaire, le métissage fut la seule alternative à la survie de son peuple. Mais lui, l'ancien, n'était pas le bon métis : Les bons métis, c'étaient ceux qui portaient des noms de famille français ou anglais!

L'Homme de l'Ombre porte bien son nom. Comme son peuple qui vit à l'ombre du drapeau français, comme sa langue qui se parle à l'ombre de la langue française. Il ne s'en plaint pas, non. L'assimilation, elle s'est faite, elle fait partie de l'identité du peuple. Renverser tout soudainement, faire à la langue française, ce que la langue française a fait au tahitien, ce serait un autre traumatisme pour le peuple. Un autre génocide culturel. C'est trop tard, la langue française est bien ancrée dans les esprits, dans le sien. Pour lui, c'est une langue de communion, une communion au monde des autres. Mais ce n'est pas la langue majoritaire. *L'anglais se trouve sur un même plateau de fruit.*

La langue tahitienne, elle, n'est pas dans ce plateau de fruit. Elle est en suspens, dans l'arbre. Notre arbre, *te tumu 'uru*, l'arbre à pain. Les Français qui viendront à Tahiti, croqueront ce fruit un jour, ils apprendront notre langue, comme l'a fait le gouverneur Bruat au dix-neuvième siècle. *« Car la langue, les mots, c'est la clef, qui ouvre la porte à notre monde. L'ignorant restera au seuil de la porte,* pense l'ancien. *Et Clara ?... »*

Elle ne parle pas tahitien et pourtant, elle n'est pas vraiment Française. Que deviendra-t-elle? Peut-il y avoir un juste milieu? Autrefois, il n'avait jamais douté... *Non, je sais qui je suis. Je ne suis pas Français, puisque lorsque je vais en France, on me regarde comme un étranger... Oui, je suis Tahitien et c'est tout. Que va devenir Clara?*

61

Mais il ne sera peut-être plus là pour le savoir. L'indépendance de son pays, c'est retrouver sa dignité d'homme.

La jeune demie a trouvé son bonheur à Faa'a. *Te tumu*, l'Homme de l'Ombre, lui a murmuré à son réveil :
– *'Eiaha e haere fa'a'ite i te tahi ta'ata...*
Elle n'a rien compris. Alors il a reformulé en français : « Tu gardes ça pour toi, ce n'est pas la peine de raconter aux autres ». Cela lui fit plaisir, elle avait ainsi le gîte, le couvert, l'amour, et la liberté, car le vieux, trop pudique, ne voulait pas qu'on expose sa vie intime, surtout qu'il allait à l'église le dimanche. Clara, elle, pût ainsi continuer à sortir, en prétendant vivre chez un papa adoptif. Les voisins n'étaient pas dupes, mais ils s'en fichaient. Elle faisait le ménage, préparait ses repas, son café tôt le matin, elle faisait sa lessive... Et lui, il allait à la mairie, à l'assemblée de temps en temps. Il continuait à voyager et " manageait " toujours son entreprise de construction. Il fut très occupé par sa nouvelle fonction de conseiller territorial, depuis que Zed, leader du parti indépendantiste, avait été élu président de la Polynésie française. Les transferts de pouvoir entre l'autonomiste et l'indépendantiste furent quasi chaotiques, puisque celui qui partait ne voulait pas partir : les bureaux administratifs avaient été vidés des documents importants, de dossiers en cours, les disquettes reprises, disques durs vidés, secrétaires retirées... Bref, le nouveau président réintégrait des locaux qui avaient été dépouillés par son prédécesseur : Il fallait tout reprendre à zéro. *« Tabula rasa ! »* Pour couronner le tout, Icks avait profité des quatre jours de battements imposés par sa politique d'attentisme, entre le 9 et le 14 juin, pour régler quelques petites affaires et faire signer des contrats d'emplois, des contrats monétaires...

Zed prenait les rênes du pouvoir, avec sur sa table, des contrats déjà signés : et voilà donc que la favorite de son prédécesseur se retrouvait à une fonction indéfinissable, avec un salaire insurmontable, ou que quelques milliers de francs fluctuaient on ne sait pourquoi et comment.

Loin de se décourager et soutenu par une masse populaire qui avait été délaissée par Icks pendant une vingtaine d'année, Zed, avec sa chemise à fleur et son chapeau tahitien, travaillait d'arrache-pied avec sa nouvelle équipe. Pour démontrer son manque d'intérêt pour les locaux fastidieux du prédécesseur, il avait refusé d'habiter le palais, d'utiliser les limousines, ou de voler dans le jet privé et coûteux. Le père de famille, point de mire des renseignements généraux pendant des années, qui avait failli être assassiné pendant les émeutes de Faa'a, attirait, de plus en plus, l'affection des habitants de l'île.

D'un seul coup, des biographies gratifiantes apparaissaient dans les journaux alors qu'il avait été dénigré pendant des années : L'homme avait fait la grève de la faim pour le retour de Pouvanaa, alors exilé par le gouvernement français, à cause de revendications indépendantistes trop virulentes; il était membre de Moruroa e tatou, une association qui protestait contre les essais nucléaires et militait pour la reconnaissance des dégradations écologiques et humaines dues à la pollution chimique; il avait même combattu pour la France à l'âge de dix-sept ans, en Algérie. On ne trouvait rien à lui reprocher. Il n'y avait rien, dans cet enfant du pays, qu'on ne pouvait rejeter. Il était téméraire, croyant, bel homme, il aimait son peuple, plus que le pouvoir et l'argent. L'Homme de l'Ombre l'aimait comme un frère.

Icks, quant à lui, se retrouvait dans les tribunes de l'assemblée, assis, il le regardait comme un imposteur. Il le devançait dans ses démarches et prit l'avion pour la France afin de rencontrer son amie la ministre de l'Outre-Mer, une semaine avant le voyage annoncé de Zed. Il fut difficile, de travailler, avec le vent en pleine face. Zed, le retraité douanier, l'accent imprégné de sa langue natale, se retrouvait dans la cour des grands : il incarnait l'espoir, le rêve. Peut-être, la fin de la corruption.

Le premier mois, l'Homme de l'Ombre et la jeune demie dormirent à peine. Elle ramena même à la maison de quoi tourmenter les vieux démons de « *te tumu* » : un vibromasseur dernier modèle de marque japonaise qui faisait succès d'après la vendeuse du sex-shop. Elle voulait qu'il l'utilise sur elle. Il allait lever la main pour la gifler, parce qu'il prit tout d'abord la présence du vibromasseur comme un usurpateur qui remettait en cause son apparat naturel à lui. Elle le rassura : Il était bien monté, ce n'était pas le problème! Seulement, l'ustensile moulé dans un plastique rose avait la possibilité de vibrer à différentes vitesses et de procurer des sensations extrêmes. Il feint de la trouver vulgaire, la menaça, elle lui sourit à ce moment-là. Alors, il n'en fit rien, il n'arrivait pas à être agressif, elle le fixait toujours droit dans les yeux. Après tout, elle savait bien tenir sa langue, personne ne saurait ce qui se passe dans la chambre. Clara avait aussi ramené à la maison une Américaine qu'elle avait rencontrée dans un club.
– My old man speaks English! He studied in Chicago!
Après avoir vidé la *coconut liqueur,* et quelques autres bouteilles du bar de l'ancien, elles finirent toutes les deux dans son lit. Il se prit de passion pour le corps féminin et apprit à soixante et un ans, qu'une femme pouvait jouir plusieurs fois, en très peu de temps, sans besoin de pénétration! Il en éprouva une espèce de respect et d'admiration pour Clara, il n'arrivait pas à expliquer pourquoi.
Finalement, jamais il ne fut aussi heureux. Son combat politique d'une vie voyait enfin le jour, sa vie sexuelle rétablie dans ses droits, le Viagra aidant. Tout allait pour le mieux. Il aimait la jeune femme et lui avait garanti que si elle le faisait cocu, il la rosserait tant à la dégoûter des

hommes. Cela lui fit plaisir, à Clara, parce que c'est ce qu'elle voulait, être possédée. Cela lui plaisait d'être avec un homme à poigne, mais il ne l'avait jamais frappée. Il s'était pris de passion pour elle. Il parlait peu, continuait ses voyages, lisait toujours autant. Parfois, juste pour le provoquer, elle mettait son vieux Tee-shirt troué « votez Icks » rouge et blanc datant de 1981, elle se baladait dans la maison, nue dessous, feignant d'ignorer le regard fougueux de l'indépendantiste. L'effet inverse d'une réprimande se produisait. Il la prenait sur son bureau, et pendant la manœuvre sexuelle, voyait le nom de l'opposant politique tanguer sur le Tee-shirt. Elle observait alors le visage de l'ancien, en pleine béatitude.

Le Négrier Catalan

La mère de Teva, désemparée d'être sans nouvelles de son fils parti en France il y a un an déjà, décida de prendre l'avion de son île des Tuamotu pour aller voir l'Homme de l'Ombre à Faa'a. La piste de décollage est ridiculement étroite sur son îlot, l'avion à hélices est petit et bruyant. Le voyage fatigant.

– Je peux te dire ce qu'il en est. Mais ni moi ni toi ne pourrons rien faire. Nous n'avons ni l'argent, ni la notoriété. Ton fils, tu ne le reverras pas. J'ai mal au cœur pour toi, j'ai mal au cœur pour lui. Parce que c'est un enfant du pays. Écoute. Tu pourras en faire ton deuil, mais ne cherche pas à te venger, tu n'y arriveras pas. Tu es trop vieille maintenant. N'envoie pas tes autres enfants en France pour le récupérer, tu les enverrais au même malheur.

C'est un Français qui a commencé sa carrière dans l'armée. Ambitieux, il a monté les échelons facilement, il a été formé dans les commandos para. Il est devenu chef de sécurité en Afrique, au Gabon, entre autres. Chef de sécurité, c'est-à-dire qu'il est responsable de la protection des présidents d'Afrique. Il s'est occupé d'Omar Bongo, et d'autres présidents africains à la botte du gouvernement français : c'est tout simple. Ils acceptent de mettre des Européens derrière chacun de leurs ministres, en échange, la France leur assure la position de chef d'État de leur pays. Tu comprends... ça fait quarante ans que Bongo est au pouvoir, ce n'est pas l'amour de son peuple qui le maintient sur le trône.

Ce Français dont je parle se nomme Robert Ledoux. Il me connaît évidemment, puisque je suis fiché aux RG depuis les émeutes de Faa'a...

En extra de son poste de chef de sécurité, il faisait des petits voyages à la métropole et revenait à Libreville,

Abidjan, ou ailleurs, avec une blonde et une mallette pour les présidents. C'est comme ça que ça marche... Je sais, tu te demandes ce que Teva a à voir là-dedans. Mais je veux juste te dresser un portrait du négrier catalan. Sa femme, c'est elle qui baigne dans le fric. Elle dira, les mains alourdies de bagues de diamants et d'autres pierres, vêtue de noir et blanc, imprégnée de parfum Chanel, elle dira avec un accent du sud-ouest, la brave Française : « Je ne suis pas raciste, mais *les Arabes*... et bien moi, c'est une race que je ne supporte pas! Et vous savez, je les connais bien. Je suis allée en Algérie quand mon mari y était en mission... » Mais sa femme, elle aime bien les Tahitiens. *Parce qu'elle les trouve plus faciles et plus doux.* Ledoux, tu l'as bien compris, c'est une barbouze. Après de bons et loyaux services à la France, il décide de se retirer quand on lui assigne Mobutu. Celui-là, il n'en veut pas.

Avec sa femme, il va à Bora-Bora, dans l'idée de s'acheter une maison. Mais le vendeur ne se plaît guère à la magouille, n'aime pas l'acheteur et réussit à le décourager en lui demandant les choses les plus absurdes, comme de faire venir un huissier de France pour une évaluation de la maison, ou d'autres réclamations futiles. Ledoux décide donc que Bora-Bora ne sera qu'un lieu de vacances saisonnier, rien de plus. Il retourne en France, avec un ancien militaire, son ancienne ordonnance, qui lui repassait ses chemises et tout le reste, Moni, un Tahitien à qui il propose du travail dans un restaurant qu'il ouvrira. Du travail au noir bien sûr, pour commencer.

C'est par l'intermédiaire de Moni que Teva rencontrera le Français Ledoux. Voilà comment le négrier travaille et voilà ce qui arrive, parfois, aux enfants de la terre aux placentas, quand ils s'exilent et que nous ne sommes pas là pour les défendre :

D'abord, il leur paye le billet d'avion pour la France. Tu sais combien coûte le billet, Mama? Au moins 328000 francs de chez nous, ça fait... 2000 euros. Il préfère les *mahu*[6], comme ton fils. Il ne risque pas de voir débarquer la femme et les enfants.

Il leur dit : « Si tu ne te plais pas ici et que tu décides de partir avant six mois, tu me rembourses le billet d'avion. »

Nos enfants répondent : « Si tous les Français étaient comme toi, on n'en voudrait pas de l'indépendance »... Après tout, il leur propose du travail, bien payé, il leur offre le billet aller pour la France... Ledoux a un appartement : « Tu seras logé gratuitement, tu ne payeras pas le loyer, seulement les charges ».

Seulement, crois-tu que l'ancien barbouze a le cœur de Mère Térésa? *Ah Mama e*... Ton fils s'est retrouvé à travailler dans ce restaurant catalan, près d'un joli port de plaisance, travailler sans compter les heures, les mois, les saisons qui n'existent pas chez nous. Le Français lui dit : « Mais, tu devrais aller à l'ANPE, réclamer l'allocation chômage, toucher des Assedics. Ce que tu gagnes, ici, au restaurant, c'est entre nous. » Alors, bien sûr, ton fils, il pense que si son patron lui dit ça, c'est qu'il n'y a aucun danger. Et puis, le Catalan, il a la " tchache ". C'est difficile de lui dire non.

Mais, c'est pour le mettre en faute. Ton fils, il est *fiu*. Il veut rentrer au pays et puis, son patron ne le paye pas comme il avait promis. Le patron lui dit : « Tu ne peux pas repartir comme ça. » Teva menace Ledoux d'aller raconter à la police qu'il le fait travailler au noir, que ses chèques de clientèle glissent parfois sur un autre compte. Teva, soupe au lait, croit qu'il peut piquer ses crises comme il le fait au pays. Il a besoin de donner des ordres, l'impuissant. Il va les voir, les gendarmes français.

---

[6] Homme efféminé

Mais voilà, Ledoux, ancien capitaine de l'équipe de rugby, ancien barbouze, il en connaît du monde. Il va voir à droite, à gauche. Il s'en sort avec une amende. Ton fils, lui, il est dans la merde. Il doit rembourser un an d'allocation chômage qu'il a touché. Il est endetté jusqu'au cou. Il n'a pas assez d'argent pour rentrer au pays. Il n'a plus où dormir. Le petit port de plaisance devient son enfer. Il perd la boule et va emmerder les amis du Catalan sur la plage, il devient agressif, il en veut aux Français, veut les faire chier. On lui casse sa voiture. On l'exclut. Ledoux, lui, dira à ses amis : « *Il n'est pas chez lui ici.* On va lui régler son compte, je n'aurai même pas à lever le petit doigt... S'il disparaît en mer, personne ne viendra le réclamer. » Il a raison ce Catalan, le Tahitien n'est pas chez lui...

Voilà. Il y en a d'autres Tahitiens qui travaillent pour lui. Certains lui disent qu'ils rentrent au pays, juste pour les vacances, mais ils ne retournent pas en France. C'est la seule façon pour eux de se décrocher du négrier catalan. Si tu veux en savoir plus, va voir Vahine, de l'île de Takapoto. Elle est partie travailler pour la femme du Catalan. Et puis, quand sa mère lui a trop manquée, elle a dû inventer une histoire : « Ma mère a eu un problème cardiaque, il faut que je rentre au pays ». Madame Ledoux lui a dit : « Moi, Vahine, je me suis attachée à toi. Tu fais un travail impeccable à la maison. Tout brille, tout est bien propre. Tu me déçois de partir comme cela ».

Tu vois Mama, il n'y a qu'eux qui ont des sentiments, Vahine, Teva, ce sont de bons *sauvages* qui leur doivent tout et nous sommes bien en deux mille quatre! Cette vieille au parfum Chanel, tu crois qu'elle peut comprendre comment Vahine regrette d'être si loin du pays, de sa mère? La gamine n'avait que seize ans! Non, après tout, les frais du voyage, le logement... On achète nos enfants, on les attache. Mais ils se sont laissés faire.

On ne les a pas prévenus, c'est aussi de notre faute. Ton fils, il ne reviendra pas, pas pour l'instant. Mais je sais qu'il s'en sortira, parce que les « mouches pisseuses », même si elles sont moins nombreuses, vivent plus longtemps que celles de l'Hexagone. C'est leur tempérament qui les fait tenir et à la longue, elles emmerdent tout le monde... Sais-tu pourquoi le coq gaulois s'égosille tous les matins?

– ... Pour appeler ses poules?

– Non. Pour marquer son territoire. Et bien les « mouches pisseuses », elles, elles pissent pour marquer leur territoire.

– Mon fils n'est pas une mouche! Qu'est-ce qui te prend le vieux? Mon fils est un papillon. Il est coquet mon fils. Les mouches, c'est sale. C'est moins prestigieux que le coq. Change ta métaphore, le vieux, elle ne me plaît guère!

– Moins prestigieux que le coq! Les coqs sont hideux, ils ont toujours les pattes crottées! Les mouches... Tiens, même, n'y a-t-il pas ce Français qui transportait des valises, qui a écrit un livre *Les Mouches*? Les « mouches pisseuses »... As-tu déjà vu des insectes si petits marquer leur territoire, comme ça, en pissant sur les pare-brise ou les vitres?! Il faut être sacrément solidaire, quand même...

Il lui sourit.

La mère de Teva, les traits ridés, les cheveux blancs nattés en chignon, assise en face de l'Homme de l'Ombre, se cache le visage de ses deux longues mains brunes et fines. La *Mama* se met à pleurer en silence. Elle est à la fois pudique et sincère : ses larmes auraient fait fondre un cœur de pierre. L'ancien a compris : il faut la consoler sans apitoiement, car la vieille ma'ohi, fière au fond, supporte moins bien le traitement humiliant subi par son fils, que les barrières océaniques qui la séparent

71

de lui. L'Homme de l'Ombre se lève, il se dirige vers elle, il lui pose sa main sur l'épaule.

– Mama *e*, je suis navré. À chaque fois qu'un de nos gosses a des problèmes, moi aussi, j'ai mal. Je ne suis pas père, mais tous les enfants du pays sont les miens… Ou plutôt nous appartenons à nos enfants! Quand ils partent si loin, quand ils partent pour la France, on ne peut rien faire. Nous devenons les orphelins. C'est trop loin.

C'est trop loin. Il pense à Clara, sa présence. Avec ses nouvelles responsabilités, il se rendit compte de certaines lacunes qu'il avait du mal à ignorer : tout ce qui concernait l'informatique ou le droit, ou même, les régulations protocolaires. Il fallait tout apprendre, apprendre de qui? Apprendre seul.
Clara, à part baiser et préparer à manger, ne savait pas faire grand-chose. Et pourtant, elle avait obtenu son bac avec mention. Il avait observé les jeunes de son quartier, les gobeurs de mouches. Quelques-uns étaient motivés par la vie, sportifs, actifs, passionnés… Mais la majorité ne faisait rien, ne voulait pas aller en métropole, ou quitter l'île, les études… Quand il les rencontrait, groupés, passifs, fumant leurs joints en plein après-midi, en plein soleil, il pensait à l'avenir. Comment faudrait-il les « gérer » dans vingt ans, ces glandeurs?

À Clara, le vieux ma'ohi avait dit : « Clara, ma belle, tu as le caractère d'une *mouche pisseuse*. Tu viens chez moi, tu t'installes, tu envahis ma vie et tu pisses à côté de mon papayer, comme pour marquer ton territoire. Mais tu ne sers à rien qu'à montrer que tu existes en emmerdant les autres. Ma chérie, tu as le caractère d'une mouche pisseuse… » Elle lui répondit : « Bzzz! » en faisant une grimace et elle éclata de rire. Et elle continua : « UMP, Union des Mouches Pisseuses! » Pliée en deux, heureuse de son jeu de mots gamin, les étincelles de plaisir qui pétillaient dans le regard « je-vais-casser-la-baraque » de son amant, l'indépendantiste, lui donnèrent satisfaction. Il lui caressa la joue avec son index et l'embrassa tendrement sur le front. Élan de tendresse qui n'était pas si courant.

À ce moment là, tout était limpide entre ces deux êtres ma'ohi. L'amour était à n'en plus douter : il ne se prononçait pas, tout était regards dans leur quotidien et leur intimité.

Il fallait pourtant qu'elle s'en aille, qu'elle parte. Il fallait qu'elle s'en aille dans un autre pays, *pour mieux connaître le sien*, se dit-il. Il fallait qu'elle parte, pour vouloir apprendre sa langue natale, pour éprouver le désir d'être, le désir d'identité. Il fallait qu'elle se sente étrangère, pour comprendre ce qu'on lui avait pris : entourée de Français, d'Américains, d'Arabes... Sans un seul Tahitien pour se retrouver, elle arriverait sans doute à comprendre ce que c'est que d'être née sur l'île aux placentas. Elle désirerait cette identité que les autres ont, de pouvoir communiquer dans leur langue natale, de pouvoir s'identifier ou de se dissembler. Il lui parlait en tahitien, mais elle répondait toujours en français. Acculturée, inculte des traditions, de son histoire. Elle connaissait les fleuves de la France, mais ne savait pas la hauteur du mont le plus haut de l'île. Elle connaissait l'algèbre, mais ne savait pas compter dans sa langue. Elle connaissait Pérec, mais n'avait jamais pris la peine d'ouvrir un livre de Chantal Spitz.

Un soir, alors qu'il lisait Samuel Beckett dans son fauteuil, elle paressait sur la natte, allongée sur le dos, les jambes croisées, les bras écartés... Un peu comme le Christ. Elle fixait le plafond, elle soupira :
– Je suis *fiu*! Je n'ai envie de rien.

Alors, il répondit :
– « Là où l'on ne vaut rien, on ne peut rien vouloir. »
– Et alors? C'est interdit d'être heureux?
– Non, c'est dangereux. Qu'est-ce que tu vas devenir, quand je ne serai plus là?

Ici, elle se laissait vivre de façon presque animale, instinctive, sans grande ambition. Elle devait éprouver le manque, pour comprendre. Et puis, lui-même était trop vieux pour elle. Il allait hypothéquer ses terres et lui payer des études aux États-Unis, pas en France. La France, c'est trop loin.

Qu'un Sang abreuve l'Océan

Les écoliers, savates aux pieds, certains les cheveux décoiffés, à peine réveillés, se tiennent tous debout, à gauche de leurs pupitres de bois orangé. Une petite suce son pouce, les jambes arquées, les pieds rentrés. Ils ont quatre, cinq... huit, dix ans. Tout âge confondu, tous ensemble dans cette petite salle. La maîtresse Herenui est à son bureau. Il est huit heures moins dix, les enfants se sont bien brossé les dents, lavé les mains, comme c'est la routine, chaque matin, dans cette petite école primaire sur ce petit atoll des Îles-sous-le-Vent. L'hygiène fait partie du programme, avec la lecture et le calcul. La maîtresse reçoit régulièrement des boîtes de dentifrice et de savon Colgate. Un dentifrice passe-partout, que certains étalent sur les piqûres de moustiques et de *nono*, parce que, dit-on, le dentifrice sèche la peau, et guérit le bouton... Aujourd'hui, le secrétaire d'État de la France fait sa tournée, pour vérifier si tout va bien chez les petits Français du Pacifique. Alors la maîtresse a bien sermonné les enfants indisciplinés avant l'arrivée de l'homme en costume et cravate. Aujourd'hui, les écoliers sont en classe un peu plus tôt. La piste d'atterrissage est minuscule, un homme suffit à la préparer, juste pour vérifier que rien n'entrave l'arrivée du petit avion à hélices. Des colliers de fleurs de *tiare* ont été préparés selon la coutume et les habitants attendent le ministre de la métropole, au bas des escaliers de l'avion. Visite de travail, ou visite de courtoisie, les mesures protocolaires sont les mêmes pour les « îliens du Pacifique ». Il fait déjà chaud, le coq a chanté, le drapeau français est levé, le cérémonial va commencer. Après avoir salué le maire d'une chaleureuse poignée de main, le secrétaire d'État accepte poliment les colliers de fleurs que certains de ses prédécesseurs avaient refusés avec dédain, insultant non seulement la coutume, mais la patience de celles qui avaient confectionné à la main, et dans l'allégresse, les couronnes et les ornements de bienvenue. Il est accompagné d'un traducteur, juste au cas où ces citoyens français ne parleraient pas la langue nationale. Dans la classe, le temps s'est arrêté. Herenui et ses écoliers attendent, angoissés par l'inspection, enthousiasmés par la visite d'un homme qui appartient au monde extérieur, qui vient d'au-delà de l'océan, de très loin. Enthousiasmés par le regard nouveau qui va se poser sur eux, sur leur salle de classe, parfaitement balayée, le tableau noir lavé à l'éponge, les cahiers bien rangés à l'intérieur des pupitres. Sur le tableau, la date soulignée à la craie blanche, en face du tableau, sur le mur du fond, une carte de la France, avec aussi, le portrait du « Président Jacques ».

Exceptionnellement aujourd'hui, tous les enfants portent des savates. La maîtresse, habituellement laxiste sur ce point, a tenu à ce que ses écoliers aient chaussures aux pieds.

Elle va au seuil de la porte accueillir le secrétaire d'État. Tous en chœur, certains plus haut, plus fort que leurs camarades, pour se faire remarquer, les petits îliens s'égosillent fièrement pour la France :

« Allons enfants de la Patriii…i eu
Le jour de gloire est arrivé…
Contre nous de la tyrannie
L'étendard sanglant est levé
Entendez-vous dans les campagnes
Mugir ces féroces soldats
Ils viennent jusque dans vos bras,
Egorger vos fils, vos compagnes….

Aux armes citoyens! Formez vos bataillons!
Marchons, marchons,

76

Qu'un sang impur *abreuve l'océan...* »

La maîtresse et le maire regardent, ils écoutent fièrement les enfants qui continuent à chanter *La Marseillaise*. L'un d'entre eux, plus audacieux, se met à claquer des doigts et à se déhancher pour faire rire ses camarades...

« ... Aux armes citoyens! Formez vos bataillons!
Marchons, marchons,
Qu'un sang impur *abreuve l'océan...*

Tremblez, tyrans! Et vous, perfides,
L'opprobre de tous les partis,
Tremblez! Vos projets parricides
Vont enfin recevoir leur prix
Tout est soldat pour vous combattre,
S'ils tombent, nos jeunes héros,
La terre en produit de nouveaux
Contre vous tous prêts à se battre! »

Le petit danseur continue son spectacle au milieu de ses camarades, il lève le poing et crie :
« Tremblez, tyrans! ».
Le secrétaire d'État trouve la scène attendrissante, ému de voir ces petits Français du Pacifique connaître par cœur les paroles de *La Marseillaise*.

« ...Mais le despote sanguinaire,
Mais les complices de Bouillé,
Tous ces tigres qui sans pitié
Déchirent le sein de leur mère... »

La gamine qui suçait son pouce, en voyant le déchaînement de son camarade, troublée par les dernières paroles, commence à faire la grimace, comme si elle était sur le point de pleurer. Herenui la repère immédiatement et la sort du groupe en chœur.

« ... Aux armes citoyens! Formez vos bataillons!
Marchons, marchons,
Qu'un sang impur *abreuve l'océan*... »

Après les brefs applaudissements de la maîtresse de classe, du secrétaire d'État, du maire de l'atoll et de quelques parents, les élèves se présentent, un à un. Le secrétaire d'État se retourne vers la maîtresse :
– Où sont passés les « sillons »?
– Ici, nous n'avons pas de charrue. Les « sillons »... Mes petits ne comprendraient pas. « L'océan », ç'est plus clair pour nous.
Après une petite pause, l'homme cravaté sourit.
– Oui, vous avez raison. C'est ça, la spécificité!
Quand il a quitté l'atoll, la vie a repris son cours normal. Plus de répétition de *La Marseillaise* pendant un moment.

Ce jour même, Herenui reçut un coup de fil de Clara qui lui annonçait son départ pour les États-Unis. La situation du frère de leur amie Roselyne s'était réglée, un mois après le changement de gouvernement. Le dossier avait été rapidement expédié.
Leur dernier échange fut ponctué par de grands silences. Herenui était vexée quand elle apprit que l'Homme de l'Ombre avait hypothéqué ses terres pour financer les études de Clara. Pour se rassurer, elle se dit que s'il tenait à elle, il ne l'aurait pas envoyée à l'étranger. En tout cas, une chose était sûre : En quittant Tahiti pour quelques années, Clara laissait derrière elle l'histoire et les parfums de son pays.

On ne peut pas replanter un arbre déraciné.

Murphy : Ubi nihi lvales, ibi nihil velis.
Là où on ne vaut rien, on ne peut rien
vouloir.
Samuel Beckett

La clinique de Randall Tyler.

Le jour où elle est partie, le vieux ne voulait pas la voir. Il ne pouvait pas la voir. Le vieux ma'ohi n'était pas du genre à verser des larmes. Le vieux ma'ohi n'était pas du genre très affectueux. Il est resté enfermé dans son bureau. Son mutisme en disait plus que tous les mots. Avant d'aller à l'aéroport de Faa'a, elle est passée par le cimetière où Mamie Louise reposait, mais elle ne savait pas quoi lui dire, debout, face à la pierre tombale. Elle prit une photo de la tombe de sa grand-mère. Le voyage fut long. C'était un dix-sept août. Il faisait chaud, mais elle ne supportait pas non plus la climatisation dans l'avion, ses jambes gonflaient. Elle avait ouvert un atlas, pour choisir la ville où elle étudierait. Son index tomba en plein milieu des États-Unis : Wichita, Kansas. C'était parfait, puisque Wichita était équidistant de toutes les autres villes et qu'elle pourrait louer une voiture, passer une journée à New York, une journée à San Diego! Elle n'avait pas pensé à l'échelle de la carte. Elle n'avait jamais quitté son île non plus.

Elle eut un transfert d'avion à Louisville, où elle monta dans un petit avion bruyant et très secoué, qui lui rappela ceux qui faisaient les navettes entre les atolls. Quand elle regarda par le hublot, tout était si plat, immense. Des immenses carrés de dégradés verts, que de ça. Arrivée à Wichita, elle descendit de l'avion, la chaleur était écrasante. Il était dix-huit heures. Elle avait peur, c'était la première fois de sa vie qu'elle posait les pieds sur une autre terre que celle de son pays.

Heureusement, une jeune Française, responsable du *French Department* de l'Université de Wichita, était là pour l'accueillir. Clara la reconnut de suite, parce que ce fut la seule femme filiforme qui attendait à l'arrivée : elle était fine, portait une robe et des chaussures noires fermées à petits talons, elle avait le visage doux et lui souriait. Les autres autour faisaient tous, au moins, plus de soixante-dix kilos et ils portaient soit des sandales avec des chaussettes, soit des tennis. Elles se firent la bise, et Bernadette l'emmena dîner chez elle, avant de la déposer dans sa chambre dortoir de Wichita State University. Tout était si grand. Les routes... Comme des autoroutes. Les voitures, les gens, les verres... Et les glaçons, ils remplissaient les verres de glaçons, plein de glaçons. Des gros cubes de glaçons. Très peu de verdure, très peu d'arbres, tout était plat. Ce qui manquait surtout, c'était l'odeur de la mer. Il n'y avait pas de gratte-ciel comme elle s'était imaginée. La route principale, c'était Rock Road, qui traversait toute la ville. Et puis, tout était quadrillé, les routes ne serpentaient pas comme au pays. Il n'y avait personne dans les rues, il n'y avait pas de trottoirs non plus. Mais où étaient donc passés les Américains? Le drapeau, lui, était partout. Au supermarché, à la station essence, à la poste, sur les porches des maisons. *Les drapeaux ici fleurissent comme les fleurs de tiare chez nous.* Et pourtant, ce n'était pas la fête nationale.

Sa chambre dortoir était dans un immeuble à trois étages seulement. Elle s'installa au rez-de-chaussée dans une chambre, toute petite. Un lit, un bureau, une armoire encastrée. La salle de bain menait à une autre chambre. Elle avait donc une *roommate*. Bernadette lui prêta des draps, un bol, une assiette, des couverts.

Ce soir du dix-sept août, elle s'allongea et s'endormit aussitôt, épuisée. Elle s'endormit sans même prendre la peine d'ouvrir ses deux valises. Ce fut une nuit sans rêve.

Le lendemain, elle partit courageusement en expédition : elle craignait les gangs, les coups de feu... Mais rien n'arriva. Elle était la seule à marcher dans la rue. Tout était plat et calme. Elle rencontra cependant un

autochtone, grand et blond, au visage bien rond, qui la salua, bien sympathique l'Américain. Elle disait « bonjour » à tout le monde. Elle se rendit compte qu'il lui serait impossible de faire ses courses à pieds. Il lui faudrait une voiture. Tout était si grand, éloigné de tout. Elle regrettait déjà son magasin chinois. Elle rejoignit Bernadette à son bureau, une petite marche de dix minutes. En chemin, elle remarqua que tous les arbres étaient penchés dans une même direction. Bernadette lui expliqua que c'était le vent. Le vent du Kansas ne rencontrait jamais d'obstacle, puisque tout était plat. Bernadette lui proposa d'enseigner dans une classe de français, pour les débutants. Elle avait besoin de quelqu'un, puisque l'étudiante qui devait venir de Paris s'était désistée à la dernière minute. Les cours commençaient dans deux jours. Elle serait rémunérée comme une T.A., *teaching assistant.* Clara accepta. Bernadette lui montra le manuel, lui prépara un *syllabus* où le cours était expliqué en détails, semaine par semaine. Après un entretien d'une heure où la professeur lui mima presque le déroulement typique d'une classe de langue, elle l'emmena à Wal Mart faire ses courses. La jeune fille acheta une dizaine de paquets de nouilles chinoises à quatre-vingt-dix-neuf *cents* les deux, des Donuts, du lait, des œufs. Là elle s'arrêta net à l'ouverture de la boîte : c'était la première fois qu'elle voyait des œufs à la coquille blanche comme ça. Elle se retourna vers Bernadette :
– Dis, qu'est-ce qu'ils donnent à manger à leurs poules, les Américains?

Les dix jours suivants se passèrent plutôt bien. Clara pensait peu au vieux durant la journée, c'est le soir surtout qu'il lui manquait. Elle mangeait peu, mais elle avait remarqué que ses seins avaient gonflé, qu'elle était plus à l'étroit dans ses vêtements. La chaleur, sans doute.

83

Il faisait chaud à Wichita. Elle sympathisa rapidement avec les étudiants du dortoir. Elle pensait se lier d'amitié plus facilement avec le seul Noir du bâtiment, elle ne savait pas vraiment pourquoi. C'était probablement parce qu'elle était elle-même métisse. Mais elle se rendit compte, par le discours politique de l'étudiant que son noir à lui, sa peau n'était pas celle d'un Africain. Elle comprit rapidement ce qu'était un *Noir Américain* : c'était un Américain. Ils étaient tous les deux dans la salle de télévision à regarder Fox News, et puis quand il apprit qu'elle était de Tahiti, il croyait d'abord que cela se trouvait dans les Caraïbes. Après une courte leçon de géographie, il lui parla de la guerre en Irak :
– I am for the war, we are fighting for freedom. French are total assholes, we helped them during World War Two. If it were not for us, they wouldn't be free right now... That's why we fight in Iraq, for freedom.
Peut-être qu'il avait raison... Elle pensait qu'il n'était pas très rancunier, après tout ce que les Noirs avaient vécu dans ce pays, vouloir se battre pour un peuple qui les avait traités comme des "moins que rien" pendant des siècles.
Le vieux était venu aux États-Unis pendant sa jeunesse, dans les années soixante et il lui avait raconté comment les Noirs s'asseyaient au fond du bus, utilisaient des toilettes publiques différentes et tout le reste. Le vieux qui avait la peau cuivrée était tout confus au début, puis il avait décidé de se mettre du côté des Noirs. Il aurait pu se mettre au milieu, mais il ne voulait pas faire bande à part. Les Blancs, après tout, ils avaient la même couleur de peau que les Français. Blancs, Noirs, finalement c'était clair ici, dans ce pays, facile. Mais quand on est un peuple métissé, généralement on se met au rang des pays colonisés : tout dépend, en fait, de qui gouverne le pays. Si c'est un Blanc, on est colonisé et en démocratie, si c'est un natif non-Blanc, on est indépendant et sous le

régime de dictature! C'est ainsi que s'ordonnaient les choses dans l'esprit de la jeune femme. Ce qui la surprit, c'était que le *Black* n'avait absolument aucun intérêt pour l'Afrique. Il avait vu le *Lion King* et imaginait que c'était comme ça là-bas. Elle le trouvait très sympa, très décontracté, mais quand elle lui dit qu'elle était, en fait, de nationalité française, il s'est montré un peu plus distant avec elle. Il la saluait vite fait dans les couloirs.

Elle rencontra des Français. Il y avait aussi des Toulousains qui travaillaient au centre aérospatial, elle les trouvait bien sympathiques. Ils avaient réussi à faire passer du cassoulet à la douane et l'avait invitée à en manger.

Elle partit, un jour, avec une Française et un Français, des étudiants aussi, en voiture, direction l'Oklahoma. Elle trouva le paysage désolant. Mais où étaient donc les Américains? Tout était déserté, pas un seul être humain dans les rues. Que des voitures et des maisons. Elle avait mis son maillot de bain rouge, pour se baigner dans un lac. Le lac était boueux, l'eau verdâtre et glauque. Et le haut de son maillot avait sauté : les seins trop gonflés, l'agrafe dans le dos se brisa et le maillot vola en l'air pour lui remonter jusqu'au cou. Enfin, la baignade était une mauvaise idée.

De retour à Wichita, elle demanda à sa compatriote de s'arrêter à une pharmacie. Elle descendit rapidement de la voiture, seule, elle alla dans le drugstore pour acheter un test de grossesse Clear Blue. Ni vu ni connu dans un sac en plastique, elle prétexta une petite migraine, elle avait acheté de l'Aspirine, dit-elle. Ses seins gonflés l'inquiétaient, ses règles n'arrivaient pas. Elle croyait que c'était le stress du voyage, peut-être... Quand elle regardait son corps, le matin, en petite culotte devant la glace, elle n'en revenait pas de leur rondeur et de leur fermeté. Elle n'arrivait plus à les ignorer : les hommes la mataient beaucoup, ce n'était pas normal.

85

Elle décida de faire le test le jour même. Pas besoin d'être à jeun. Elle le sortit de la boîte blanche, bleue et rose. Elle alla dans la salle de bain, urina sur l'appareil en forme de thermomètre blanc. Le posa à côté du lavabo. Il fallait attendre quelques minutes.

Elle sortit, tourna en rond. Elle avait un cil sur la main. Elle le posa sur l'index, fit un vœu, souffla. Le cil resta collé au doigt. Elle souffla une seconde fois. Il était encore là. La troisième fois devait se faire, sinon, c'était foutu pour le vœu. Il était encore là.

Assise sur le lit, elle fixait la salle de bain, allumée, la porte ouverte.

Clara se leva enfin. Elle regarda le thermomètre blanc : une ligne bleue... Ça c'est normal. Une ligne rose. Une ligne rose?... Une ligne rose!...

La ligne rose.

Il y a donc à l'intérieur d'elle quelque chose qui pousse, comme un parasite qui s'est posé comme cela, sans demander la permission. Un imposteur, qui s'incruste dans le corps, comme ça, sans demander. Le petit colonisateur.

Elle sent sur ses épaules un poids, lourd. Elle sent sur sa vie, un poids écrasant. Elle va s'écrouler sur le lit, elle ne pleure pas. Elle y pense. Alors, maintenant, elle n'est plus seule. Elle est deux. En plus, un enfant de son homme, l'ancien, qui est tellement fort. Elle sent, elle imagine cette force du germe qui pousse, la puissance en elle. Elle se sent forte. Elle est deux, maintenant. C'est donc ça, être enceinte. Elle attend le lendemain, pour pouvoir s'acheter une carte téléphonique et appeler son *tane*, son amant de Faa'a. Au bout de la ligne, il est silencieux. Il a le cœur serré, il se laisse tomber sur une chaise. Lui l'homme politique, qui trouve toujours les mots, aujourd'hui, tout ce qu'il peut lui dire, c'est : « Fais comme tu veux ».

Elle raccroche aussitôt, ce n'est pas la réponse qu'elle attendait. Pendant quelques minutes, elle le hait, *il n'a qu'à crever, le sale con!*

C'est Bernadette qui les a emmenés, elle et son fœtus, dans la clinique du docteur Tyler. Clara d'un seul coup, ne pouvait plus parler, ne savait plus parler. Muette en français, en anglais, en tahitien aussi. Aphasique. Bernadette parle pour elle.

Nous sommes le jeudi vingt-sept août, il est quinze heures. Bernadette et l'enfant du pays pénètrent dans la clinique. Il faut d'abord passer par un détecteur de métal. On donne les sacs au policier à l'entrée. Quelques années plus tôt, Tyler fut victime d'une tentative d'assassinat, leur explique-t-on.

Elles arrivent dans la salle d'attente. Les chaises sont en cercle, au milieu, il y a une table basse avec des revues. Au mur, il y a une photo encadrée de Tyler et Bill Clinton qui se font une poignée de main, avec un autographe de Bill. Dans la salle, il y a une femme et son ami. Elle est mince, brune, pâle. Elle n'a pas le ventre rond. Elle est triste, ils se tiennent la main, les doigts entrecroisés. À côté d'eux, il y a deux Noires. L'une d'elles a vraiment le ventre rond, elle porte un débardeur à rayures horizontales, jaunes, roses, blanches, rouges, rouge sang. Elle doit être enceinte de cinq mois au moins. Elle glousse avec sa copine. Elle a l'air de s'en ficher, qu'on va lui enlever le petit à l'intérieur. Clara les regarde sans trop y croire. Elle doit être en enfer... « La Honte »... En Tahitien, *c'est être là où l'on ne doit pas être.* Le mot lui revient : « *Te ha'ama* ». C'est sûr, c'est bien ça. Bernadette, assise à côté d'elle, a compris le regard de Clara, lorsque la jeune femme Noire s'est mise à rire. Le regard d'un être humain impuissant. Elle pose sa main sur la sienne.

Un bout de phrase lui revient... *« La vacuité du vagin... »* Clara n'arrive pas à se souvenir de la phrase entière. Mais elle se souvient que c'était dans un livre appartenant à l'ancien. Oui, *Plateforme,* oui c'est bien ça. Houellebecq. *La vacuité du vagin...* elle a oublié.

Elles attendent.

Une femme aux proportions excessives, la secrétaire, dont la blouse blanche contraste avec la noirceur lustrée de sa peau, les invite cordialement dans son bureau, pour signer des papiers et régler toute la paperasserie de l'assurance. Clara filme son sourire, ce corps qui dépasse de partout, qui veut s'échapper de la blouse blanche d'infirmière. La jeune femme filme tout, de son regard, de sa mémoire, mémoire filmique, c'est tout ce qui fonctionne normalement, le reste de son corps est absent. L'avortement coûtera trois cent vingt-cinq dollars. « C'est moins cher que d'accoucher, lui dit Bernadette. Pour un accouchement dans un hôpital, tu peux compter au moins deux mille dollars! » Clara n'écoute pas vraiment, elle regarde les ongles de la secrétaire. Ils font au moins trois centimètres de longueur, vernis d'un drapeau américain. À chaque ongle. « *Elle aime son pays, la dame.* » Clara pense au *Fenua,* son pays à elle, qu'elle n'aurait jamais dû quitter.

Ce sera une anesthésie locale, on lui administrera un calmant si ça se passe mal. Elles changent de pièce et s'assoient dans des sièges un peu plus confortables. Le docteur Tyler entre. Il est grand, comme tous les autres hommes dans ce pays. Il a les cheveux clairs, des lunettes, sa blouse blanche. Il est souriant, lui serre la main. Il feint un intérêt, s'enquiert d'où elle vient, ce qu'elle étudie ici dans le Kansas. Tout va bien se passer, le fœtus est minuscule, deux centimètres... tiens, plus petit que les ongles de la secrétaire. On va passer un petit film qui explique le processus de l'avortement. Dilatation, aspiration. Et voilà! Clara ne voit, pendant tout le film, que le fœtus. Il est beau, tous les fœtus sont beaux, le sien ne fait que deux centimètres, mais il prend tellement de place. Tellement. Ses mains tremblent. Sa gorge, elle a quelque chose dans la gorge, quelque chose qui va éclater. Elle veut rentrer à Tahiti, elle veut aller dormir sur la tombe de Mamie Louise, elle veut s'allonger sur la pierre tombale. Elle veut rentrer chez elle.

Elle entre dans une petite pièce. Il y a une table recouverte de papier blanc, comme chez les gynécologues. Elle ne sait pas comment ça s'appelle en français. En tout cas, c'est là qu'elle va s'allonger. Une infirmière blonde, sèche, lui parle en anglais. Elle n'y entend rien, alors l'infirmière lui fait signe de se mettre nue et d'enfiler la blouse blanche, qui s'attache derrière. Il faut qu'elle s'allonge là, qu'elle mette les talons de ses pieds là dedans, qu'elle écarte ses jambes et surtout, il faut bien qu'elle rapproche son bassin au bord, là. Clara est seule dans la pièce. Allongée sur le dos, les jambes pliées, écartées. Il y a un poster au plafond, une forêt en automne... Elle n'a jamais vu l'automne, elle ne connaît pas l'odeur des feuilles mortes qui s'enlisent dans la terre humide et froide, elle n'a jamais vu un arbre qui se dénude de ses feuilles. À Tahiti, cette saison n'existe pas. Alors, le poster représente quelque chose d'étranger, comme tout le reste. Le temps est long. *La vacuité du vagin...* Houellebecq. C'est un homme, donc c'est un con. Tous les hommes sont des cons, tous les hommes sortent des cons. *La vacuité du vagin...* C'était quoi déjà? Le fœtus est là. Il est petit. Elle le sent à

89

l'intérieur, dans sa tête, le fœtus l'envahit. Il ne veut pas partir, lui dit-elle. Peut-être que c'est un garçon, un futur homme. Celui-là, elle l'aimera, c'est sûr. L'infirmière entre, puis le docteur. On lui fait une piqûre, c'est l'anesthésie locale.

Le fœtus n'est pas entre ses reins, il est dans sa tête. *Profitons de nos dernières secondes ensemble.* Le poster au plafond est flou. Clara pleure, crie. Son fœtus, son bébé, son enfant, son homme. Elle s'affole. *Profitons de nos dernières secondes ensemble.* Pendant que l'utérus se dilate, elle s'agite. On appelle Bernadette qui entre et maintient le bras droit de Clara sur la table. Bernadette lui dit de ne pas paniquer, elle lui explique ce que le docteur fait. Le docteur s'inquiète :

– Does she feel anything still?

Bernadette lui répond :

– No, no. She's just sad, that's all.

Clara pleure. *Profitons de nos dernières secondes ensemble.* Elle crie. Le visage inondé. Le poster n'est plus qu'une image jaunâtre, orange, noire, sans lignes distinctes. Bernadette lui dit de se calmer.

– On va passer maintenant un petit tuyau, qui va décrocher le fœtus.

Clara gesticule, comme le roi des mers, la bête mutilée sur ce navire du seizième siècle...

L'infirmière blonde arrive, immobilise le bras gauche, touche la veine, pique, le liquide calmant s'écoule dans le sang. Clara n'a jamais été aussi forte, elle crie, elle pleure. *Profitons de nos dernières secondes ensemble.* Et puis elle voit le pendentif en or de l'infirmière qui se balance, de droite à gauche. C'est une croix en or, qui se balance. Nom de Dieu! Qu'est-ce que Jésus vient foutre ici? Est-ce que c'est Dieu qui la nargue en lui disant, « De quoi tu te plains? Moi aussi, j'ai avorté mon fils! »

– Voilà, il est décroché. Maintenant nous allons l'aspirer.

Clara ne pleure plus, c'est fini. Il est mort.

Ils sortent tous. La dernière, l'infirmière à la croix lui montre une serviette hygiénique, lui dit de se rhabiller. Elle ferme la porte derrière elle.

Alors, Clara se lève, encore sous l'effet de la drogue. Et puis, debout elle regarde fixement la poubelle. Peut-être qu'ils l'ont mis là-dedans? Elle n'ose pas regarder, comme si c'était tabou. En sortant, elle marche en zigzaguant, la mâchoire pendante; des infirmières au bout du couloir la regardent en souriant, quel petit clown!

On l'emmène dans une grande salle où les autres mères, comme elle, sont alitées. Elle dormira jusqu'à cinq heures. Les autres lits seront vides quand elle rouvrira les yeux.

À son réveil, Bernadette est là. Elle lui sourit. Les deux Françaises, la métropolitaine et l'îlienne, sortent de la clinique du docteur Tyler. Clara s'allonge sur la banquette arrière de la Chevrolet grise, Bernadette la recouvre des pieds à la tête avec une couverture : il faut la cacher, il ne faut pas qu'elle voie et qu'on la voie. À l'ouverture de la grille, il y a une foule d'Américains qui crient, en balançant leurs pancartes, en tapant sur la voiture. Clara baisse la couverture, elle regarde. Elle voit une photo d'un fœtus déchiqueté. Elle ferme les yeux, la photo est toujours là.

La nuit, elle a fait un rêve. Elle volait dans les limbes au décor lymphatique. Des violons criaient. Un corps nu de femme, décapité et sans bras, flottait, entouré de serpents, de fougères, de lianes. Des violons criaient, ce n'était pas une musique mélodieuse, non. Plutôt agressive, violente. Les jambes écartées, on voyait bien le sexe ouvert de la femme. Quelque chose est sorti, s'est échappé. Un papillon, sans doute.

Depuis cette mutilation, cet " arrache-tripes ", elle se sentait vide, vacante, vacuité... du vagin, de l'utérus, de tout. On lui avait tout enlevé, le cœur, les tripes, oui. Le fœtus, non. Il était bien là, dans sa tête, dans son corps. D'ailleurs, son corps s'est métamorphosé malgré l'interruption de grossesse. Comme si le fœtus, au chaud dans son crâne lui disait : « Tu ne te débarrasseras pas de moi aussi facilement! » Ses hanches, son bassin, se sont élargis. Les seins ont perdu rapidement de leur fermeté, mais les tétons étaient parfois douloureux. Son visage surtout, avait changé. Elle était triste.
On aurait dit une chienne battue.

Les mouches pisseuses

Un peu plus loin de cet enfer, l'amie de Clara est assise dans sa cuisine, à Faa'a.

Roselyne observe le vieux cahier *Conquérant 7*, orange, tacheté de blanc et de marron, *quatre-vingt seize pages, soixante-dix grammes, papier numéro trois*, à l'encolure marron. Il est usé aux rebords et aux trois agrafes d'attachement. Des graffitis faits au crayon bic, des graffitis de palmiers, un soleil noir, des oiseaux, des algues, une fougère. Des gribouillis sur la ligne horizontale de la couverture. Roselyne observe le cahier qu'elle a trouvé, dans le dossier administratif de son frère. Il était bien rangé, entre son cahier de santé et ses bulletins de notes. La porte de la cuisine est ouverte, il n'y a qu'elle à la maison. Quelques mouches s'attardent sur la nappe cirée, mal essuyée du repas de midi. Roselyne observe le cahier, décide d'ignorer la mouche qui s'est posée sur la couverture orangée. Sa main droite se pose juste à côté. Une petite main, les doigts fins tapotent d'impatience, le regard inquisiteur, les sourcils fins dessinés au crayon se contractent. Les yeux bleu-gris toujours posés sur le cahier fermé, elle revoit son grand frère le jour de son départ. Il portait un pantalon de velours fin, couleur bordeaux. Les cheveux mi-longs et bouclés, le sourire aux lèvres, à l'aéroport de Charles de Gaulle. Il avait l'air tellement heureux de partir. Son bonheur faisait de l'ombre à sa tristesse à elle. Un mauvais jour, se souvient-elle, où, dans la foule de l'aéroport, quelqu'un avait marché sur ses pieds de gamine, les chaussettes blanches dans de vilaines ballerines rouges, tachées de saleté brune. Un mauvais jour pour elle, lorsque pour son grand frère, elle s'est noyée dans une foule d'Africains, au milieu de tous ces boubous colorés, elle a disparu de sa vue. Il avait le sourire aux lèvres, heureux d'aller rejoindre sa terre aux placentas... Il est parti, pour ne plus revenir, pensait-elle. Pendant de longues années, elle ne reçut ni lettres, ni coups de téléphone. Il l'avait oubliée, elle n'existait plus. Elle avait pleuré de chagrin, à ses heures, dans son lit, quand l'envie lui prenait. Le frère, c'était son pays.

Dans ce cahier, il y avait peut-être ces années qu'on lui avait volées de son grand frère, peut-être qu'en le lisant, l'écriture lui octroierait ce que le temps et l'espace lui avaient dérobé. Une histoire commune avec le frère, qui avait commencé à sa naissance à elle, mais une histoire interrompue, coupée, dénaturée comme un génocide culturel qui transformerait des frères en étrangers. Roselyne veut lire, elle veut comprendre, pourquoi l'homme qui est revenu, était un étranger, un autre homme, aux yeux cernés, détruit par les électrochocs administrés à l'hôpital militaire. Un dossier médical qu'on n'a jamais pu obtenir, qu'on n'a jamais voulu transférer en métropole. Cinq *mutoi farani*, cinq gendarmes français contre lui qui se débattait comme une bête féroce, le mauvais petit sauvage! Le grand frère fut rapatrié de son atoll par avion, interdit de séjour dans les îles. Des miettes de nouvelles, données au compte-goutte à la mère, en France, au téléphone, dans la nuit. À l'étage, Roselyne l'entendait gémir, impuissante.

Dans ce cahier, peut-être lirait-elle les lignes de vie de son frère, le footballeur, le vendangeur, l'instituteur, le plongeur, l'ostréiculteur, le *faiseur de perles*! L'*Albatros* de Baudelaire, *son frère*!

« Le 5 septembre 1995,
Qu'est-ce que je fais, de ce qu'on a fait de moi? J. Salomé.
Mon travail autobiographique.
Mon grand-père paternel s'appelle Louis Gallipard
Et ma grand-mère Joséphine Suzette.

Mon grand-père était comptable, ma grand-mère, femme au foyer. Mon grand-père a eu un fils, mon père, Marco. Ma grand-mère, elle s'est mariée trois fois et elle a eu quatre enfants. Mon grand-père paternel avait des relations tendues avec son fils, car celui-ci faisait plus la fête qu'autre chose. Mon grand-père maternel était cuisinier dans la marine, il s'appelait Yves Lagadec. Ma grand-mère maternelle était institutrice, elle s'appelait Lisette Poromé. Leur mariage ne dura que trois ans, ils ont eu Nina, ma mère, et ont divorcé par la suite. Ma grand-mère s'est remariée avec Moe Tupa, mon deuxième grand-père, ils n'ont eu aucun enfant. Mon grand-père maternel s'est remarié avec Claudia Palla, il a eu deux enfants. Ma mère Nina a épousé Marco, ils ont eu deux fils, moi, *Tafaiatara* et mon frère, *Te-Mahana*. La turbulence de mon père et la méchanceté de certaines de ses cousines, ont poussé ma mère au divorce. Une semaine après le divorce, elle a rencontré *Papa*, un légionnaire français qui nous a élevés. J'avais deux ans. Ils ont eu une fille, *Roselyne*. De son côté, mon père a vécu en concubinage avec Brigitte; il a eu trois enfants, *Rainui, Terii, Teraura...* Je fus donc l'aîné de six enfants. Ma famille était assez ouverte, en général, le deuxième choix était le bon...

C'est enfant que j'ai découvert la France. Nous habitions à Aubagne, nous suivions mon beau-père au rythme de ses mutations. Déjà, je ne pensais qu'à me battre, j'étais turbulent, mais mon frère, lui, était tranquille. Nous sommes retournés à Tahiti et mes deux années de scolarité se sont faites à Arue. Ces deux années sont assez floues, mais je me souviens bien de mon grand-père paternel, de sa chaleur et de sa gentillesse. Quand il est mort, ce fut terrible pour moi et mon frère; l'aïeul était tellement présent dans notre vie. Et puis ce fut le départ pour la France. Nogent sur Marne. Et encore une nouvelle école. Puis Argentré, où mes parents ont fait construire une maison. Je suis allé au collège Jules Renard, j'ai redoublé ma sixième et ma cinquième. Je ne pensais qu'à m'amuser. Alors mes parents m'ont envoyé dans un pensionnat, à Evron. Le football, la photographie sont devenus mes passions. À l'âge de treize ans, j'ai eu ma première mobylette. J'étais plus autonome. À quinze ans, je suis allé en seconde technique à Angers. J'ai loupé mon orientation, je voulais faire un bac littéraire. Alors, j'ai choisi le foot, le sport étude. Une blessure au genou anéantit mes projets. Je quittais l'école pour entrer dans la vie active.

Je faisais les vendanges et je suis tombé amoureux d'une fille. Deux années où je me suis laissé guider par ma copine. En 1981, j'ai su que mon père Marco descendrait à Paris et comme cela faisait des années que je n'avais pas eu de nouvelles de lui, j'ai décidé de le rejoindre à Paris, avec ma copine. J'ai eu une discussion avec lui. Dans ma tête, je m'étais fait un scénario assez malsain, car je lui avais écrit plusieurs fois et il ne m'avait jamais répondu. Donc, cela aurait dû être une expédition punitive. Arrivé au domicile de mon père, le fait de le voir, tout s'est effacé. *Il était deux heures du matin et j'avais retrouvé mon père.* »

La jeune femme se lève de table, pour aller pisser. Bruit de chasse d'eau. Porte qui claque. Elle revient, sort une Hinano du frigidaire, la décapsule, se rassoit. La dernière phrase précise et succincte, lui est apparue aussi impromptue que cet oiseau aux plumes rouges de l'autre jour. C'est une belle phrase. *Il était deux heures du matin et j'avais retrouvé mon père.*

« Tahiti fut, après cela, un objectif, qui ne fut pas partagé par ma copine. Bref, le 24 janvier 1982, nous étions tous deux dans l'avion. Le voyage se passa sans encombres. La première chose que j'ai vue de l'avion lorsque nous

nous sommes approchés de l'île, c'est la verdure. En descendant de l'avion, ce fut la chaleur. Je me suis mis torse nu avant de me faire rappeler à l'ordre par un policier de l'aéroport. Il faisait une chaleur terrible, nous étions en plein été. Le trajet de l'aéroport à la maison de mon père fut un délice; je voyais des filles partout. J'ai vu mes frangins, ma frangine, *j'étais chez moi.* »

Sept années en France, avec moi, son autre sœur, il n'était pas chez lui. *Que faire de ce qu'on a fait de moi!...* Roselyne soupire, elle reprend sa lecture.

« Le matin, c'était boulot comme mécanicien, l'après-midi, la plage et la drague. Au bout de deux mois, ma copine Française a décidé de me quitter et de rentrer en France. Vous savez, cela faisait trois ans que nous étions ensemble. Cela m'a fait mal, mais il était hors de question que je retourne en France. C'en était fini du premier amour.

Je suis allé vivre dans une maison de mon père, je faisais la fête tous les jours. Je me suis fait virer du boulot de mécanique. Mes journées, je les passais à la plage, avec les copains. On pêchait, on mangeait, on surfait. On fumait de l'herbe. C'était le nirvana. On sortait en boîte le samedi soir, on faisait la fête. Au bout de quatre mois, j'en ai eu marre, je suis parti dans les îles Tuamotu, à Takapoto.

La première semaine fut épouvantable. Je m'ennuyais à mort avec mes grands-parents. Les jeunes là-bas étaient assez spéciaux. Il y avait deux cents personnes sur l'île. On a vite fait le tour. C'est alors qu'une place d'instituteur était vacante. J'ai passé le concours local et je fus engagé. Je me suis retrouvé à enseigner aux SP, SG, CP... Les petits. Ce fut éreintant. J'aurai voulu avoir les grands. Quatre mois se sont passés. Puis je fus expédié à Takaroa, l'atoll d'en face. J'ai eu les CE1, CE2,

97

CM1, CM2. C'était mieux, les gens étaient plus sympas, c'était bien. Je me suis mis tous les matins à la pêche, de cinq à six heures. On ramenait beaucoup de poissons. Les habitants de l'atoll, sans gêne, venaient ramasser les fruits de ma pêche. Ils y piochaient. On était cent, avec les enfants. On avait aussi un parc à poisson communal; des poissons qui ressemblent à des sardines, des *ature*. Il y en avait beaucoup, tout le monde s'en servait, mais il fallait réserver avant...
C'est là que j'ai commencé à aimer le travail de la perle. Tous les week-ends, je les passais dans la ferme perlière d'un copain. Cela commençait à m'exciter.»

Ce journal, finalement, c'est un peu la lettre qu'il ne m'a jamais écrite, pense-t-elle. La bouteille de Hinano est déjà vide. Elle en sort une autre, la décapsule, se rassoit. La voyeuse continue sa lecture.

« *Il y avait la plongée sous-marine. L'entrée dans le monde du silence.* De retour à Takapoto, j'ai installé, pour voir, une ligne de collectage de nacres. Huit mois plus tard, juste après le cyclone *Aurama*, j'ai récolté mes nacres et je les ai vendues à un acheteur, j'ai triplé mon salaire annuel d'instituteur.
Une ombre commençait à arriver, il fallait que je quitte Takapoto pour Fakahina. J'étais confronté à un dilemme entre la nacre et la classe. J'ai choisi la nacre. Manque de pot, un an plus tard, un virus exterminait les nacres à Takapoto, qui est un lagon fermé. J'ai juste eu le temps de vendre mes nacres pour la deuxième fois, avant que l'interdiction d'exportation des nacres ne survienne. J'ai dû changer d'île pour continuer mon travail.
Avant cela, j'ai pris six mois de vacances à Moorea, l'île sœur de Tahiti. J'ai acheté une moto 500XR, j'ai bringué avec des copains, fumé du *pakalolo*, couché avec plusieurs femmes, j'ai bu, j'ai aussi bien bouffé. Surf pirogue

discothèque pêche. Je me suis amusé comme un fou. Mais surtout, j'ai rencontré ma copine. Elle avait quinze ans, mignonne comme tout. Elle était aussi ma cousine. *L'amour revenait.* »

Roselyne s'attendait à un drame, quelque douleur où elle aurait pu s'accrocher. Mais il vivait bien, l'enfant du pays, épris de sa cousine...

« *Ce fut le coup de foudre.*
Les économies fondaient rapidement, il fallait que je me remette au boulot. Le père de ma copine, originaire des Tuamotu, comptait investir dans la perliculture. Il était avec son frère armateur. Son bateau, le *Mareva*, naviguait dans les Îles-sous-le-Vent. Bref, on monta ensemble une ferme perlière. J'ai choisi l'atoll de Manihi.
Je me suis retrouvé sur un îlot de cinq mille mètres carrés, avec un vieux qui m'aida à construire une maison en contreplaqué avec un toit en tôle galvanisé pour recueillir l'eau de pluie. Ensuite, il a fallu faire les WC. Un trou avec un cabanon au-dessus. Après, il a fallu faire un puit pour se laver.
Je me suis occupé de la ferme en construisant une petite maison sur l'eau, avec un ponton axé. Cela me prit trois mois de travail. Je me suis occupé, par la suite, de mes nacres.
J'ai placé des collecteurs de nacres, tendu les lignes flottantes à six, à neuf mètres de profondeur. J'ai acheté des nacres; je les ai percées; je les ai mises sur le chapelet de dix nacres, une à une.
Ensuite, ce fut l'attente de trois mois. J'en ai profité pour me construire un bungalow et pour cultiver un jardin. La bouffe, aux Tuamotu, c'est important. Là, pareil, les habitants de l'île m'ont piqué des légumes, une fois le jardin à point. Ils viennent se servir, sans gêne.

Après ces trois mois, c'est le nettoyage de nacres. Elles sont pleines d'algues et de coquillages. Il faut les gratter, les brosser, les remettre dans l'eau de mer sur les lignes flottantes. Trois mois plus tard, rebelote.

Au bout de huit mois, les collecteurs sont prêts s'il y a des nacres. On les calibre à partir de cinq centimètres, on les perce et on les met deux par deux, dix fois. Cela fait vingt nacres. Les petites, on les laisse. La nacre a un biseau qui lui permet de s'accrocher. Une bonne prise et la nacre grandit vite et bien. C'est un travail prenant, il y a un roulement. Je traitais mille nacres par jour, avec quatre personnes. J'étais sur un cheptel de trente mille nacres.

Comme Manihi s'approvisionnait à Takapoto, le virus avait touché mes trente mille nacres. On en a greffé quinze mille ma première année. La perle est à son terme au bout de deux ans. Il fallait un roulement, d'où un cheptel de quatre-vingt-dix mille nacres.

Sur les quinze mille, on avait un taux de réussite de notre premier greffeur pa'umotu à dix pour cent de réussite, donc cent cinquante perles, à cinq cents francs la perle, pour les plus belles (cinquante pour cent du tout), deux cents francs la perle moyenne (trente pour cent), et vingt pour cent de déchet.

C'est un travail répétitif qui demande beaucoup de temps.

Ma copine venait me rejoindre pour les vacances.

En 1985, une première fille est née. Ce fut un beau bébé qui s'appelle Léonie. Mais avec le travail, ce fut difficile de s'en occuper. Deux ans plus tard, une deuxième fille qui s'appelle Dorita. Mon travail prenait beaucoup de temps, je descendais à Tahiti tous les trois mois pour voir ma femme et mes filles. Cela a duré six ans, jusqu'au jour où ma femme est partie avec mon chef de chantier, qui était aussi un ami. »

Les yeux écarquillés, la moue dubitative, la jeune femme s'arrête de lire. Son frère stérile s'est approprié les enfants de son autre frère, le cadet, dans l'écriture. Il a commencé par décrire le vrai, il a fini par la fiction. Un délire absolu, dans lequel elle ne trouve pas satisfaction, car il ne délivre aucun détail émotif de sa vie sur l'atoll. Les mots flottent en surface, sur la page, et ne trahissent rien, qu'un discours bienséant. D'abord, le ventre noué par la nouvelle qu'elle avait des nièces sans le savoir, ensuite soulagée mais déçue de lire une fiction dans le journal intime de son frère, elle ferma le cahier, alla aux toilettes pour uriner. Assise sur les WC, elle cogite. Que lui est-il passé par la tête? De faire une fiction de sa vie, la réalité ne suffit-elle pas?... Quel journal intime? Sans aucun détail intime! Pourquoi se mentir à soi-même, dans son écriture même?...

Elle tire la chasse; elle claque la porte; elle ouvre le frigidaire, se sert d'une troisième bière et s'assoit, à table. La mouche est toujours là, sur la nappe cirée, qui la nargue. Elle saisit lentement le cahier fermé avec la main droite, tout en fixant la mouche insouciante qui s'attarde sur la table. Deux ailes translucides et veinées, six pattes noires fines comme ses cheveux à elle, un corps en forme de grain de riz, d'un noir bleuté et brillant, la mouche semble faire une toilette en croisant et décroisant les pattes avant, comme un chat qui se lèche les pattes pour s'essuyer la gueule. .
Elle l'écrase d'un coup sec et bruyant, elle laisse s'échapper « salope! » Elle retourne silencieusement le journal intime de son frère aîné pour vérifier que la mouche est bien aplatie. Elle sourit, satisfaite...

– Si au moins tu fermais parfois les portes et les fenêtres de ta maison, il n'y aurait pas autant de mouches chez toi!

L'autre frère, le cadet, spectateur de la petite scène burlesque est à la porte de la cuisine.

Le cadet s'assoit en face de la soeurette. Il a la quarantaine et ses cheveux d'ébène portés en petit chignon sur la nuque commencent à grisonner près de son oreille. Sa lèvre supérieure légèrement plus charnue, ses yeux d'un noir profond, son teint olivâtre offrent au visage une sensualité typée.

– Tu es comme notre mère, obsédée par les mouches... Sais-tu que chez moi, j'ai des *mouches pisseuses?*

Roselyne le regarde, fronce les sourcils, la bouche à demi ouverte.

– Des mouches pisseuses! Comment peut-on voir une mouche pisser? C'est trop petit, c'est un insecte!

– Oui, c'est vrai... Mais l'autre jour, j'ai garé ma voiture sous le papayer de notre cour et je l'ai laissée à cet endroit toute la journée. Quand je l'ai récupérée, le pare-brise était tout sale de pisses de mouches, des tâches minuscules et brunes... Un peu comme tes tâches de rousseur à toi! Partout sur le pare-brise!... Ce sont les mouches pisseuses, pas les oiseaux, penses-tu... Je sais faire la différence!

Roselyne, mettant de côté l'analogie faite entre ses tâches de rousseur et la pisse des mouches, essaie d'interpréter cette histoire comique.

– Les mouches pisseuses?! Ça n'existe pas!

Elle va chercher *l'Encyclopédie Larousse* volume sept - maliorly - dans sa chambre, la feuillette... Mouche, mouche... Comme des mouches, être piqué de quelque mouche, faire d'une mouche un éléphant, fine mouche, ...blablabla..., mouche, mouche... Seules les mouches piqueuses sont des parasites pour l'homme....

– Ça n'existe pas! Tu inventes encore...

– Non. Les mouches pisseuses sont des mouches communes. Seulement, lorsqu'elles sont nombreuses, elles peuvent laisser des traces... un peu plus

102

« humaines »... N'en as-tu pas entendu parler?! Elles ont
envahi le *Fenua* il y a quelques années. Elles sont partout.
– Mais ça n'est pas répertorié dans l'encyclopédie!
– D'où tu sors sœurette?! Toujours à essayer de tout
retrouver dans des livres et des encyclopédies
françaises... Ah oui... Alors c'est sans doute celui qui
écrit qui a raison! La raison du plus fort, c'est celle du
livre! Puisqu'elles ne sont pas dans l'encyclopédie, elles
n'existent pas, ces mouches pisseuses... Je compatis avec
les mouches pisseuses.
Roselyne reste muette devant son frère cadet. Qu'est-ce
qui lui prend, tout à coup, avec cette histoire de
mouche pisseuse?
Il observe silencieusement le cahier orange, puis il
regarde sa sœur.
– Il n'y a rien à comprendre, qu'une seule chose : Les
mouches pisseuses existent ; elles n'ont pas besoin d'être
répertoriées pour exister. Un peu comme ce journal
intime de notre frère; il n'existe pas au monde, mais il
existe à nos yeux. Un peu comme notre littérature...

Le grand frère s'arrête, il allume sa cigarette roulée. Il
regarde Roselyne. Il lui sourit...

Paofaï, Les Paroles Mortes.

Mon très cher vieux,

Tu me manques. Voilà, je t'écris ma première lettre depuis presque deux ans maintenant. J'ai fait ce que tu m'as dit de faire. Je suis venue, ici, aux États-Unis pour suivre des études. Je suis allée en France, pour retrouver mon père. Au début j'étais presque heureuse, parce que tout était nouveau, tout était si grand. Depuis que je suis arrivée ici à New York, ce n'est plus pareil. Je ne me suis jamais sentie aussi seule. J'habite dans un petit appartement de Brooklyn et je prends le métro tous les jours pour aller à Manhattan. Je marche beaucoup, beaucoup dans le dédale des rues, je croise les passants qui se ressemblent tous, mais je ne croise jamais de regards. Même dans le métro, assis les uns en face des autres, on ne se regarde pas. Comme si, ici, le rapport humain n'était que tolérance.

Depuis mon avortement, le temps s'est arrêté. Je vis dans un *no man's land*, ici, entre la France et Tahiti, je vis dans un grand vide, avec pour seuls repères, le souvenir de ton amour et le souvenir de mon *Fenua*, de mon île, ma terre aux placentas, le souvenir de ses habitants.

Je t'écris parce que j'ai rêvé, la nuit dernière, de notre enfant. Celui qui n'est jamais né. J'étais seule dans les rues de Manhattan et il m'appelait au secours : une voix sourde, c'est difficile à expliquer. Disons que je sentais, intérieurement, qu'il m'appelait au secours. Et je courais, je courais en espérant le retrouver à chaque coin de rue. À chaque fois que j'y arrivais, il n'y avait personne. Alors je courais, comme un rat dans un labyrinthe. Je me suis réveillée en sursaut. J'ai réalisé qu'il ne pouvait guère compter sur moi, puisque je vis dans un monde inondé de tous ces êtres et que lui, vit dans un monde insondable de toutes ces âmes. Un épiscopalien de Wichita m'avait dit qu'il était probablement perdu dans les limbes. Je ne pourrais jamais plus le retrouver. Alors, j'ai pleuré pendant un moment.

Donc je t'écris aussi pour te dire que je ne t'en veux plus, je te pardonne de ne m'avoir pas encouragée à le garder, cet enfant.

Tu voulais que j'apprenne le français correctement. Que j'obtienne les pompeux diplômes qui font « gagner le respect ». J'ai échoué. Je te le dis tout de suite : il y a trop de mots dans la langue française, tellement de mots qu'on utilise à peine, mais il y en aura toujours un que je ne connaîtrais pas. Quel gaspillage de mots. Je pense à ce mot qu'on a créé et que personne n'utilise, je pense à ce mot qu'on a créé et qu'on manipule à contresens. Ils m'ont fait lire *Moi Laminaire* de Césaire! Ah mon vieux, mon amour, quel cauchemar! La lecture de son texte fut un véritable avortement de mots, ah oui, on voit bien pourquoi la France ne voulait pas donner de bourses d'études aux Tahitiens (je veux dire à ceux, qui comme toi, portaient des noms de familles tahitiens) pendant les années soixante... Avec Césaire, ils ont mis au monde un auteur Noir qui connaissait mieux les mots français que tous les Blancs de la métropole. Dis, tu te rends compte que certains même, je ne les ai pas trouvés dans le dictionnaire? Le roi des néologismes pensait se libérer de la langue française en créant, comme un dieu, des mots à lui, à son être, à son peuple. Et puis surtout, ne me demande pas de quoi *Moi Laminaire* parle, parce que j'ai passé plus de temps à chercher les mots qu'à lire le texte. Mais je les ai écrits : *mascaret, ascidie, embâcle, piton, arganier, bathyale, cuscute, porana, phasme, quiscale, épacte, hourque, déhiscence, ruiniforme, ragtime, quadrature, orogène, silicate, ressaut, ignivome, drêche, mancenilliers, strix, lémure, touaou, gnoséologique, malebête, compitale, rhombe*... Ah c'est beau, mais je n'y comprends rien. Je voudrais vivre, chaque minute que je passe à lire, si je ne comprends rien, c'est une minute perdue de ma vie. Césaire est l'un des auteurs qui me doit une sacrée facture...

Mon vieux, je ne te comprends pas. Pourquoi veux-tu que j'apprenne tous ces mots, quand je ne connais même pas les mots de notre langue? Et puis, je ne me sens pas chez moi ici. J'ai toujours peur de dire une bêtise, qu'on me regarde de travers. Je suis entourée de gens qui savent tout, qui se comportent comme s'ils savaient tout. Qui ont écrit là, publié ici. Un de mes professeurs m'a regardé de la tête aux pieds dans l'ascenseur. Mais pourquoi? J'aurais aimé que l'un d'eux s'intéresse à la littérature de chez nous, mais c'est les Caraïbes qui comptent ici. Nous n'aurons donc jamais notre Césaire ou notre Senghor? Quand je leur parle de nos écrivains, ça rentre dans une oreille et ça ressort par l'autre, c'est comme si nous n'existions pas! Mon vieux, j'en ai marre de ces gens-là! Je veux rentrer chez moi!

Ici, je ne suis pas une femme, je me sens médiocre, inaperçue. Les hommes me regardent à peine, ils ne sont pas comme au *Fenua*. Tu avais raison, mon amour : *Là où on ne vaut rien, on ne peut rien vouloir.* Les autres étudiants sortent souvent, mais ils m'invitent rarement. C'est que je n'ai pas envie de sortir non plus. Le lundi, ils parlent de leurs week-ends devant moi. Et ça jacasse, et ça socialise. Moi je suis *fiu*. Je n'ai pas d'amis, je n'ai pas de famille, je n'existe pas, sans toi. Ici à New York, il y a plein de *mahu*. Des femmes et des hommes. Les homosexuels sont partout, ils sont très beaux aussi, ils prennent bien soin de leur corps, ils s'habillent bien et surtout, ils sont très forts en politique, très sociables. Pas comme moi. Il y a des clubs homos, des cinémas homos, des magazines homos, plein plein de trucs, juste pour les homos. Je me demande, si moi-même, je ne suis pas un peu lesbienne sur les bords, tu sais. Je t'avoue, je ne sais

107

plus qui je suis, tout est flou. Je passe plus de temps à regarder les femmes que les hommes.

C'est difficile de rencontrer des hommes, ici. Il y a des critères. Je n'y corresponds pas. Je n'aime pas me maquiller et j'ai horreur des talons et des jupes. Il fait trop froid. Je n'aime pas les bars non plus, ici. Tout est si cher. Il m'arrive de rester chez moi quatre jours sans parler à personne, sans que personne ne m'appelle. C'est dur, tu sais. C'est difficile de n'avoir personne à qui parler.

Ta voix chaleureuse et tes mots tahitiens me manquent énormément. Je te revois encore, si grand, avec ton chapeau tahitien et ta chemise à fleur en *pareu* blanche et bleue. Tes mains larges et cuivrées. Ta chaleur... Je te revois encore, en train de rouler ta cigarette. Mais tu m'as oublié. Herenui m'a écrit et elle m'a dit que toi et elle, vous étiez ensemble de temps en temps.

Il paraît que notre président est mis à l'épreuve. Rêves-tu toujours à l'indépendance? Mon père, le Breton, m'a dit que l'indépendance d'un pays colonisé sera toujours virtuelle, comme la liberté des hommes est virtuelle... Il m'a aussi dit que la langue, ce n'est pas le pays. Va comprendre! Il parle beaucoup quand il boit du Chouchen, mon père.

Je l'ai vue, celle que tu lisais, quand je suis partie du *Fenua*. Je l'ai vue à une conférence. Elle était belle, elle ressemblait presque à Louise. Elle a lu un extrait de son texte, *La Disparition de la langue française*. Sa voix donnait la vie aux mots. J'étais émue, tu sais. J'ai pensé à toi, à nous, qui sommes les oubliés, les « ignares »! J'ai pensé à toi qui m'as dit, le premier jour que je t'ai rencontré qu'il y a parfois des écrivains étrangers qui retranscrivent notre histoire, sans le savoir. Si une étrangère *nous* écrit, alors, mon vieux, pourquoi la vouloir à tout prix, cette indépendance. Vivons-la à travers les mots!

Elle est douloureuse pour moi, cette indépendance larvée, parce que mon père est la France, ma mère est Tahiti. Les nationalistes de notre pays veulent l'indépendance, mais *pas pour la bonne raison* : vouloir l'indépendance parce que les Ma'ohi sont une race à part, non pas supérieure, mais « à part »! Nous n'avons rien à prouver, *nous* les Ma'ohi. Nous ne sommes pas différents des autres! Ce que je crois vraiment, c'est que la France ne veut plus de nous. Elle n'a plus besoin de nous, les essais nucléaires sont terminés, nous sommes trop coûteux. Pourquoi ne pas l'admettre? Regarde ce que les Anglais ont fait de Kiribati! Que tu le veuilles ou non, la France nous gouvernera jusqu'au bout : puisque c'est elle qui décidera de notre indépendance. Même si le peuple la désire, si la France ne veut pas nous l'accorder, alors, il faudra nous faire entendre. Mais tout dépend d'elle. Ce que nous avons, c'est un semblant de pouvoir, rien d'autre. Comme les Basques! Comme les Corses! Comme les Bretons! La seule différence, c'est que nous, nous ne sommes pas une région. Nous sommes un pays, qui recouvre l'Europe entière par sa densité.

Pourquoi vouloir se démarquer à tout prix? L'identité culturelle, c'est un leurre, mon vieux. L'identité, en fait, c'est cette pelote de laine. Des morceaux de laines noués les uns les autres et roulés en pelote bien ronde. Le chat qui s'amuse avec, c'est le manipulateur, le nationaliste. Tout va bien aussi longtemps qu'elle ne se déroule pas. Si elle se déroule, les nœuds apparaissent, les différentes couleurs. Il arrive que les nœuds se défassent. Cette laine, ces fils, ce sont les liens d'amour et de haine qui nous accrochent les uns aux autres, de père en fils, de mère en fille, de frère en sœur, d'ami en ami. Des êtres humains, voilà notre identité. Voilà pourquoi, quand j'ai entendu Assia Djebar lire son texte, j'étais émue. Parce qu'elle parlait de moi, de toi, de nous, sans avoir la prétention de dire que nous étions Chinois, Ma'ohi, Arabes, Antillais. Il suffit de remplacer les noms des personnages avec les nôtres, les leurs. Le sentiment, n'est-ce pas cela qui nous tient?

Non, ne te méprends pas : Je ne me retournerai jamais contre les miens, contre mon père, comme Terii s'est retourné contre Paofai son père et a signé ainsi la fin de notre nation, dans *Les Immémoriaux* de Segalen. Non, je ne me retournerai pas contre toi, non plus. Mais ne me demande pas de choisir entre mon père, la France et ma mère, Tahiti.

Je suis arrivée à bout de ma quête identitaire. Je m'en fous de ce qu'on dira : qu'on m'appelle la *vahine popa'a*, demie ou je ne sais quoi, je suis attachée à mon île avec ou sans le roulement de ses airs. Je l'ai peut-être, ce « complexe de la dépendance » de ce connard de Mannoni dont parle Césaire! Oui, je suis dépendante de ceux que j'aime! *Je ne peux pas me soustraire à la langue!* La langue, cette identité à laquelle on ne peut se soustraire. Mon accent ne résonne pas dans les mots que j'écris : Langue orale, langue écrite, mes deux identités.

Voilà qui je suis. Je suis la demie, le quart de demie, la quarteronne qui écrit un français sans accent, qui parle un français, avec un accent, petit. Je suis celle qui t'aime, tu es le père de mon premier enfant qui n'est jamais né. Demain, si nous avons un choix à faire, je choisirai de vivre sur l'île aux placentas, puisque je lui appartiens organiquement. Parce que, je hais les impérialismes, je me mettrai à tes côtés, par amour pour toi, pour cette indépendance à laquelle tu as consacré ta vie.

Oui, il y a cette fleur, la *tiare*, qui pousse partout dans les îles de notre Pacifique, mais qui n'a de parfum, que lorsqu'elle fleurit sur Tahiti. Oui, notre île est la terre aux placentas, unique au monde. Oui, nous avions les guerriers et les navigateurs les plus prestigieux dans le passé. Mais nous sommes des êtres humains comme les autres. Il existe dans d'autres pays, des singularités et des fiertés encore plus incompréhensibles. Ne puisons pas notre fierté dans ce passé qui est si lointain, irréel.

La réalité est ce qui est présent, le maintenant. Existe-t-il à cette minute une chose dont nous les Tahitiens, puissions être fiers, une chose présente, et non passée ? Y a-t-il chez nous, des Pasteur, des Cheikh Anta Diop, des Assia Djebar, des Mandela, des Mère Térésa ? Où sont nos héros d'aujourd'hui? Gauguin, Segalen, Brel, Paul Emile Victor, Brando... Ces « Tahitiens de cœur » appartiennent-ils tous au passé? Et c'est en prétextant le passé que nous revendiquons notre identité? On nous a *volé* notre passé, ne courons plus après nos fantômes. Notre pays a besoin de nouveaux héros, de nouveaux mythes.

Ici, à NY, on me dit que ce n'est pas très malin d'étudier nos auteurs, que je ne trouverai jamais de poste : Lis Césaire! L'as-tu lu son *Discours sur le colonialisme?* Césaire, qui s'est abreuvé de tous ces intellectuels de la République, rappelle que l'arithmétique et la géométrie reviennent aux Egyptiens, l'astronomie aux Assyriens, la chimie aux Arabes... Et nous, les Polynésiens? Notre langue, nous devons la réapprendre et même, inventer de nouveaux mots, comme ce mot d'« indépendance »! Que savons-nous de notre histoire? Les *moai?* Nous ne savons même pas pourquoi ils sont là! Nous ne savons pas d'où nous venons. Notre histoire, nous l'apprenons des autres. Ce sont les autres qui l'écrivent! Il ne nous reste que les légendes, les chants et la danse. Et pourtant, je préfère être paumée chez moi, que sur une terre étrangère.

Être libre. Même les descendants d'esclaves connaissent leur histoire.

Je sais, cette lettre est longue! C'est un journal! Ça t'apprendra à ne jamais m'appeler! Je n'écrirai jamais assez bien et puis, je ne me débrouillerai jamais assez pour vendre mes livres. Je n'ai pas le tempérament. Et pourtant, j'ai compris que tout commence par les mots. La Révolution française a commencé par les mots. La négritude a commencé par les mots. *L'indépendance commencera par les mots.* Mon amour pour toi a commencé par les mots. Ne m'en veux pas, mon vieux, mais j'ai échoué mes études. Je veux retourner chez moi, je te promets, je me rendrai utile. Je continuerai mes études à Faa'a, chez nous. Je me rendrai utile. Tu seras fier de moi. Je relèverai tes défis, je ne me laisserai plus vivre comme avant. Je travaillerai durement, mais chez moi, chez toi. Je te promets, j'apprendrai notre langue.

Finalement, cet avortement de notre petit Ma'ohi, c'est le point zéro de ma vie, une nouvelle échelle du temps. Sans ce vidage de moi, je n'aurais jamais pu me reconstruire. Mon séjour dans le purgatoire des âmes perdues, dans ce *no man's land des arrivistes*, va bientôt se terminer. Je te retrouverai bientôt, avec ou sans ce diplôme. Et je te promets, j'apprendrai notre langue. Tu seras fier de moi. Je reviendrai à Tahiti.

Mon vieux, mon amour.
Je marche dans les rues grises et enfumées et rien n'a arrêté mon regard, je ne suis pas chez moi, je ne reconnais personne. L'amour enfoui à l'intérieur, croupi, gâché, indivisible, se pourrit, car il ne peut être que pour l'île vivante. Tahiti, ma peau de chagrin, je me suis perdue dans le labyrinthe du destin et je languis de fouler ton sable, de frôler tes fleurs et de t'aimer toi l'Homme de l'Ombre. La terre aux placentas, la jeteuse de sortilèges amoureux. Aue tatou e! Pauvres de nous! Les expatriés qui crèvent d'envie d'y retourner.

Onanisme à NYC

Clara est assise sur le rebord de la fenêtre. Elle observe la rue, les passants. Brooklyn, samedi soir, neuf heures. Cela fait trois jours qu'elle n'a parlé à personne et que personne ne lui a adressé la parole. Il n'y a rien à boire dans le frigidaire, alors, elle enfile ses tennis et descend dans cette rue. Elle la traverse pour aller chez la Coréenne, l'épicière. Un carton de lait, une bouteille de Coca, une bouteille d'eau.

– Four twenty.

Voilà pour aujourd'hui. Il pleut. Elle décide de surfer sur internet. Elle va sur *craigslist.org*, cherche à *m4w*, puis *w4m*. Il y a quelques annonces bien cochonnes, ça distrait. Elle ouvre un livre, mais elle reste sur la même page, pendant vingt minutes. Alors, elle va s'allonger. Elle se met nue, sur son lit. Le vibromasseur est trop bruyant, quand se décideront-ils à en confectionner de silencieux! Elle se lève, enfile son vieux Tee-shirt blanc et rouge, « Votez Icks », va se rasseoir sur le bord de la fenêtre. Elle regarde dans le vide. Elle regarde, sans les voir, les pigeons qui picorent le bitume gris et sale, à côté des sacs poubelles entassés.

Elle pense à l'indépendantiste Francis Ona, le révolté de Bougainville, révolté de voir son île balancée d'un colonisateur à un autre. À l'image de leur peuple, certains hommes sont ballottés comme des pantins... Pourtant Francis Ona est loin d'en être un. Elle allume son poste de télé, l'éteint.

Elle prend une feuille de papier, un crayon. Elle gribouille :

Masturbation artificielle, masturbation intellectuelle... Je peux me faire jouir toute seule puisque j'ai du sang indépendantiste dans les veines! Mon corps, c'est mon pays. Mon pays, c'est mon corps.

Elle s'arrête. *Je suis folle!... Au moins, si j'étais alcoolique, j'aurais une excuse!*
Elle écrit.

La langue est un moyen de contact avec ma patrie. Le sentiment d'identité passait par la langue... La diplomatie commence par les mots, Dominique de Villepin.
D'un amoureux de sa langue à un autre.
À tous les chefs d'État du monde, respectez la terre, pour que nous puissions survivre, Francis Ona.
D'un indépendantiste à un autre.
Elle pense à son amant de Faa'a. Elle écrit.
Erasmus, le chevalier prestigieux, courageux, qui est mort assis sur les toilettes, à cause d'un éboulement sur sa maison.
D'un vieux à un autre.
Elle pense à son père, qui l'avait emmenée à Fougères. Elle avait mémorisé ces quelques phrases en haut du clocher. Elle s'en souvient très bien. Elle écrit.
Les vestiges du Donjon témoignent encore de la tragique défaite de l'armée bretonne en 1488 contre les troupes du Roi de France. Fougères devint, la même année, ville française. La fin de l'indépendance bretonne allait favoriser des reconstructions prestigieuses : beffroi, hôtel de ville, églises.
D'un Français à un autre.
Elle pense à Jacques Chirac, avec qui elle aurait bien aimé coucher s'il avait quelques années de moins. Faire l'amour avec la France, pour de vrai... Heureusement que Mamie Louise n'est pas là pour entendre ce qu'elle pense. Elle se souvient de la présence du chef d'État à la conférence des pays océaniens. Comme il avait insisté : « La Polynésie euhmm est une région euhmm... » Non, non Monsieur le Président! La Polynésie est un PAYS!
Elle écrit.
L'amalgame. Le régionalisme est aux régions, ce que le nationalisme est aux pays.

114

Elle va s'allonger sur son lit. Elle s'endort. Elle se réveille vers vingt-trois heures. L'heure de la série *Seinfeld*. À côté d'elle, inerte, le phallus en plastique rose.

Là où tu ne vaux rien, tu ne peux rien vouloir.

Elle se lève soudainement, bascule tout, le radioréveil se fracasse contre le mur, la cafetière se brise sur le carrelage, les livres, elle les ouvre, déchire les pages. Elle prend un couteau et se met à déchirer les coussins, les taies. Les plumes volent, se libèrent. Tout ce qui peut se briser, elle le lance contre le mur. Elle court dans la salle de bain, elle se regarde dans la glace. Elle se met à crier, elle s'arrête. Personne ne vient, personne ne frappe à la porte. Elle se regarde dans la glace. Oui, elle existe, mais pour qui.

Son regard s'arrête sur une mouche qui s'est posée sur le miroir.

Apaisement.

La mouche pisseuse!

Le cœur serré, elle pense à cette histoire burlesque que lui avait racontée Roselyne. Les mouches pisseuses, quand elles sont nombreuses et qu'elles salissent les pare-brise et les vitres de leur urine, rappellent aux êtres humains qu'elles existent. Elles sont *territoriales*.

Clara se met à rire, la bouche grand ouverte, elle rit tellement qu'elle n'arrive presque plus à respirer. Elle s'arrête.

Son rire lui fait penser à Merlin, qui lui aussi riait dans *Le roman de Silence*. Son roman à elle, sa vie, son roman de silence à elle. Elle existe, comme la mouche pisseuse. La vie est belle!

Elle ouvre la pharmacie et prend le petit flacon de comprimés, des anti-inflammatoires très fortement dosés qu'on lui avait prescrits quand elle s'était bousillée la rétine accidentellement avec de l'eau de javel. Une éclaboussure dans l'œil.

Et puis non, elle le repose. Elle retourne se coucher. Si seulement elle pouvait se reposer. Elle n'y arrive pas, elle n'y arrive plus. Elle a besoin de sentir les pamplemousses verts, de courir dans son allée du quartier de Tipaerui. Elle a besoin d'entendre la voix de Hina, de sentir l'odeur du *monoi*. Il est déjà presque minuit. Alitée, elle ouvre un livre : La négritude. Elle lit à voix haute, peut-être parce qu'elle veut entendre son accent, ses « r » rouler, parce qu'elle a besoin d'une voix, qu'un bruit humain transperce la solitude de ces murs. Elle parle.

« La…*ma'ohi*tude.
C'est une certaine manière d'être *femme et homme*, et surtout de vivre en *femme ou homme*. C'est la sensibilité … l'âme plus que la pensée… ainsi de telles expressions *polynésiennes*, comme « *Le cœur de la terre* » et non « *Le placenta* ». Rien ne traduit mieux cette façon de *penser la vie* que la nouvelle *philosophie ma'ohi*, qu'elle soit *néo-zélandaise, hawaïenne, ou tahitienne*, de langue française ou de langue anglaise. »
« Pardon Senghor, », ajoute-t-elle à voix haute.
Elle ferme les yeux. Il est temps de dormir.

Il est six heures vingt ce dimanche matin. Clara décide d'aller courir. Elle court jusqu'à la jetée, le long de la rocade silencieuse. Elle s'essouffle, elle sue. Elle respire. Elle aperçoit, au loin, la statue de la Liberté, immobile. La liberté incarnée, ou plutôt incarcérée dans de la pierre… Nous avons nos *moai*. Elle s'assoit sur un banc.

En rentrant chez elle, elle passe chez la Coréenne et achète une carte téléphonique. Elle monte les escaliers sales et poussiéreux qui mènent à son petit studio. Elle pénètre son alcôve, s'allonge, s'étire comme un chat. Les jambes, les bras. Et puis, sa main gauche touche, accidentellement, un petit flacon orange translucide. Les anti-inflammatoires? Elle était persuadée de les avoir laissés dans l'armoire à pharmacie. La main droite touche une vieille édition des *Œuvres* de François de Villon. Elle ouvre par hasard et tombe sur : « Ballade contre les ennemis de la France ». Elle éclate de rire et lit à voix haute : « Qui mal voudroit au royaume de France! »... Elle crie, comme si elle jouait dans un théâtre :

« Ou noyé soit, comme fut Narcissus,
Ou aux cheveux, comme Absalon, pendus,
Ou comme fut Judas, par despérance;
Ou puist mourir comme Simon Magus »

Elle lève le poing vers le plafond, comme ce petit pa'umotu chantant *La Marseillaise* :

« QUI MAL VOUDROIT AU ROYAUME DE FRANCE! »

Elle aura bientôt vingt-deux ans. Ce matin là, l'enfant du pays a avalé, d'un trait, les onze comprimés restant du petit flacon translucide. Une seule enfant du pays, dans cette ville de plus de sept millions d'habitants, beaucoup d'Asiatiques, beaucoup d'Européens, beaucoup de Latins, d'Américains, de Mexicains... En un an et demi, elle n'avait rencontré personne en qui elle pouvait se retrouver, oublier sa solitude, oublier son avortement. Le studio était sale de débris de verre, de livres déchirés, de vaisselle grasse... Mais elle ne s'en était même pas aperçue. Les anti-inflammatoires faisant de l'effet graduellement, elle se sentait d'abord très relaxée. Elle n'était plus en colère. Tout allait bien. Elle se sentait heureuse. Elle mit la cassette d'un enregistrement d'un vieux disque de Mamie Louise, elle écouta, le sourire aux lèvres, heureuse, très heureuse. La musique en sourdine, elle chancela jusqu'au téléphone et elle appela l'Homme de l'Ombre. Il ne répondit qu'après la sixième sonnerie.
– Allô?... Allô?
– Te pohe nei au i te ma'i no te here!
Elle raccrocha aussitôt. *Je suis morte d'amour pour toi.* Voilà ce qu'elle lui dit.

Il rappela, sans réponse. Il appela son amie Kaupua, à Hawaï, qui à son tour fit le numéro 911. Les ambulanciers de Brooklyn l'emmenèrent à l'hôpital Woodlum. On lui donna du charbon à boire, on lui demanda :
– Vous allez recommencer?
Elle répondit que non. Elle sortit quelques jours plus tard.

Dans sa tête, une chanson la berçait.

La même chanson qui l'a raccompagnée jusqu'à l'île vivante, sa terre aux placentas.

E marama no te po e
E manu rere manu rere
E manu no Tahiti e
E manu rere manu rere
E manu no Tahiti e

Na manu 'ura e no to 'ai'a, 'afa'ifa'i mai te parau
E poro'i here no te po e, e maramarama no te po e
Aue, no'ano'a te maire e tahirihiri noa mai
Afa'i mai te poro'i no te po e
Poro'i here no te po mai, aue te 'oa'oa e te au e

E marama no te po e
E manu rere manu rere
E manu no Tahiti e
E manu rere manu rere
E manu no Tahiti e

Na manu 'ura e no to 'ai'a
Afa'ifa'i mai te parau
E poroi here no te po e
E maramarama no te po e
Aue, no'ano'a te maire e tahirihiri noa mai
Afa'i mai te poro'i no te po e
Poro'i here no te po mai, aue te 'oa'oa e te au e

Dans la lueur lunaire,
C'est l'oiseau volant, l'oiseau volant,
L'oiseau de Tahiti,
L'oiseau volant, l'oiseau volant,
    C'est l'oiseau à plumes rouges de ton pays
apportant un message
      Le message tant chéri de la nuit, la lueur lunaire,
      Mon Dieu, la brise nous apporte le parfum
      De la fougère odorante, le *maire*,

Transportant le message du soir, message chéri du soir,
Quelle joie et quelle félicité!
Dans la lueur lunaire,
C'est l'oiseau volant, l'oiseau volant,
L'oiseau de Tahiti,
L'oiseau volant, l'oiseau volant,
C'est l'oiseau à plumes rouges de ton pays,
Apportant le message,
Le messager chéri de la nuit, la lueur lunaire,
Mon Dieu, la brise nous apporte le parfum du *maire*,
Transportant le message du soir, message chéri du soir,
Quelle joie, quelle félicité...[7]

---

[7] Traduction de Dorita Teioatuatehoahoarai.
Manu rere est une chanson de Martial Iorss et Eddy Lund.

Épilogue, dans un meilleur des mondes

Elle est retournée sur son île, comme elle l'avait rêvé autrefois. Elle a retrouvé son vieux, son homme, l'Homme-*souche*, le *Premier homme* de Camus peut-être, en Tahitien *te ti'i*, la racine, sa racine, *te tumu*, le tronc, *l'homme-tronc*. À l'aube, pendant qu'elle prépare le café, il s'assoit dans le salon, il roule sa cigarette, il la regarde sans rien dire. Il est assis, de la même façon, sur la même chaise, dans une même pose, que le premier jour où elle a pénétré les lieux, comme pour renouveler la scène de la première rencontre. La première fois qu'il l'a vue debout, sur le seuil de sa porte, avec son chignon, ses lèvres roses et ses yeux couleur de prune.

Lorsqu'elle a accouché d'un bébé de quatre kilos cinq, un enfant mâle aux proportions gargantuesques, il était là, à l'hôpital Mamao. Il a emmené une glacière, qu'il avait préparée soigneusement dans les premières minutes de contractions de la jeune mère. Il a pris les glaçons du *freezer*, congelés à cet effet. Il les a placés dans des sacs en plastique hermétiques. Il les a placés, cinq ou six, au fond de la glacière, pendant que les contractions tourmentaient le corps de la jeune femme, à l'hôpital. Après quelques heures d'attente, il a pris pour la première fois de sa vie, cet homme de soixante-deux ans, il a pris l'enfant dans ses bras, le cœur serré par tout cet amour qu'il n'avait jamais ressenti auparavant. L'infirmière israélienne s'est alors avancée vers lui et lui a demandé :
– Papa, veux-tu prendre le placenta ?
Il a remis son fils dans les bras de Clara, il a suivi l'infirmière, la glacière à la main.

Il a ramené sa femme, son enfant et sa glacière, dans sa maison du quartier de Faa'a. Sa mère, la Chinoise, de seize ans son aînée, avait préparé du *ma'a tinito pipi* rouge, et du riz. Elle avait mis des draps propres, des fleurs odorantes dans la chambre pour accueillir la jeune mère et son petit-fils prodigue. Après avoir mangé goulûment le riz, la sauce aux haricots rouges, Clara est allée dormir, avec son nouveau-né. Un sommeil sans rêve, un sommeil de fatigue. Le « nouveau-père » est allé dans la cour avant de la maison. Le passage de gravier traversait un petit lopin de terre où des plantes poussaient à l'état sauvage, où on laissait la nature faire son travail.

Sous les regards de la grand-mère chinoise et du chien jaune, il a creusé un trou d'une profondeur d'un mètre, à côté du papayer où la jeune mère avait pissé une nuit de pleine lune, deux ans plus tôt. La nuit où il avait caressé son corps, où elle avait éveillé ses sens. La grand-mère fut étonnée qu'il aille aussi profondément dans la terre. Il ne voulait pas que les chiens, en grattant, puissent toucher le placenta. Pas une goutte de sueur sur le front, pas un souffle de fatigue, il a creusé dans l'allégresse la terre fertile. Pendant que la grand-mère marmonnait en tahitien quelques paroles que je ne pourrais jamais transcrire, il sortit le placenta de la glacière, de ses deux larges mains cuivrées et le déposa dans le drap souillé du lit d'amour, que la grand-mère avait mis de côté. La matière organique spongieuse fut enveloppée dans le tissu *pareu* et déposée soigneusement bien au fond, au creux de la terre noire de son île, de mon île. Il a ensuite planté, à cet endroit, un jeune arbre, un manguier sauvage, qu'on appelle *vi Tahiti*. Ce jour-là, il portait son chapeau tahitien, sa chemise *pareu* à fleurs, *bleue et blanche*, aux couleurs de son pays.

L'auteur remercie vivement Masano Yamashita pour son travail de relecture et de correction, ainsi que Dorita Teioatuatehoahoarai pour sa traduction de *Manu rere* et ses encouragements.

Jean-Marc Tera'ituatini Pambrun, écrivain dramaturge et poète polynésien, a procédé à la correction finale du manuscrit et a veillé à ce que l'orthographe des mots tahitiens soit respecté selon les normes de l'académie tahitienne. *Mauruuru roa* Tera'ituatini.

Littérature
à l'Harmattan

PLEIN EST
PHELIP Gonzague
"Je ne suis d'aucune race, d'aucune diaspora, simplement une peau, un dépigmenté, un défaut de synthèse grassouillet arraché d'une terre de brume non reliée au réseau routier parce qu'encaissée au fond d'une vallée peu accessible. J'ai quitté cette vallée il y a onze ans mais ses visages ne me sont pas flous. Ils me sont douloureux." Aresky, livreur de cartons d'emballage, prend l'autoroute d'un pays écrasé par le soleil. Il doit livrer à l'est, dans la direction de son village brumeux, où il fut autrefois messager du Pays des Morts.
(Coll. Ecritures, 15,50 euros, 171 p.)   *ISBN 2-7475-7467-9*

OASIS NEW YORK
Bilingue Français/Anglais
DE VIAL Antoine
Ce texte est un patchwork. New-York à travers quatre prismes : matin-midi-soir-nuit ou les rapports de l'homme avec la ville absolue. D'un pont à l'autre, à chaque moment du jour, à chaque heure de la nuit, elle accueille, elle exclut, elle bouillonne, elle vit. New-York, ville-oasis, caravansérail du futur, brisée, blessée, et toujours renaissante, ville-objet démesuré et précieux d'une célébration.
(Coll. Ecritures, 11 euros, 78 p.)   *ISBN 2-7475-7433-4*

2042, L'ÈRE DES CLONES
LEJEUNE Paule
Nous sommes en 40-50, de l'an 2000... Dans le maelström des changements, une pratique est devenue courante : le clonage Est-ce mieux que de sortir du ventre de sa mère fécondée par un homme appelé père? C'est différent. La vie ne pourra jamais plus être comme avant.
(11,20 euros, 106 p.)   *ISBN 2-7475-7348-6*

ROSE-GABRIELLE AUX VENTS DE MER (TOME III)
Le rosier sauvage
1908-1966
KAPFERRER Anne-Dominique
De 1908 à 1966 les descendants de Rose-Gabrielle vivent à Neuilly et près de Boulogne-sur-Mer, dans la nostalgie, l'espérance et la contradiction : comment vivre dans un confort feutré et refuser toute forme de totalitarisme politique, racial et culturel ? Comment aimer un français juif d'origine russe ? Comment élever ses enfants dans l'amour et le respect de la France et du Viêtnam quand on est française métisse et veuve de guerre de 1915. C'est dans ce dernier tome de la trilogie que les lecteurs trouveront enfin les réponses aux énigmes de Rose-Gabrielle adolescente au XVIIIème siècle.
(22 euros, 300 p.)   *ISBN 2-7475-7611-6*

AH, CES YEUX NOIRS! ...
BLAGODAROVA Faïna
Léningrad au début des années 50. Dans les dernières années de l'autocratie stalinienne, alors que la terreur règne, un jeune psychiatre tombe amoureux d'une de ses patientes, Marina, une jeune femme juive très belle. Malgré sa jeunesse, Marina a déjà connu de nombreux malheurs qui ont détruit sa santé: le terrible siège de Léningrad, un mariage raté, l'assassinat de ses proches par les nazis occupant Kiev, l'arrestation d'un oncle adoré, collaborateur de Meyerhold.Ce nouvel amour ramène l'héroïne à la vie, mais l'entraîne dans une nouvelle tragédie qui touche également le jeune médecin. Si le livre raconte le destin de deux êtres exceptionnels, il est aussi le roman de la lutte contre le mal sous toutes ses formes et dont l'héroïne sort victorieuse.
(Coll. Ecritures, 24,50 euros, 276 p.)   *ISBN 2-7475-7459-8*

DE L'INCERTITUDE
SANEROVA Hana
Fondé sur une "autobiographie intérieure", ce recueil essaie de formuler quelques interrogations existentielles propres à notre époque qui, parfois semble se trouver "au bord du chaos". Mais comment sortir de l'incertitude qui nous guette? Derrière des petites scènes ponctuelles, il y a une quête de l'identité, un désir de s'appuyer sur quelque chose qui permettrait de saisir la valeur du monde.
(Coll. Lettres tchèques, 14 euros, 152 p.)   *ISBN 2-7475-7201-3*

LA RÉPUBLIQUE DES CHIENS
SIANGOU Dakoumi (Togo)
Dieu et le chien, deux fidèles compagnons de l'homme. Si le premier a été honoré, exalté au cours des siècles, il n'en est pas de même pour le second. A Gobogobo, dans un univers de rêve mais aussi de cauchemar, le chien partage l'espace et le temps avec l'homme. Ce qu'il ne partage guère, c'est la "res publica".
(Coll. encres noires, 15.50 euros, 172 p.)   *ISBN 2-7475-6686-2*

LES RÉSIGNÉS
KHATARI Yacoub Ould Mohamed (Mauritanie)
Dans cet ouvrage, la société maure contemporaine se trouve décrite, de l'intérieur, par quelqu'un qui en fait partie. Mais, soucieux d'objectivité, fier de cette société, il ne voit aucune raison de vouloir dissimuler ses tares. Ce roman décrit les rapports entre maîtres et esclaves et les péripéties de la dislocation du système esclavagiste antique. L'auteur nous montre également combien tous les changements restent très insuffisants pour les exclus de la société traditionnelle.
(Coll. Encres noires, 13 euros, 140 p.)   *ISBN 2-7475-7557-8*

LA GRANDE MUTATION
CUMBA CISSE Adama (Sénégal)
"La grande mutation" est l'histoire de ce village dénommé "la Cité" dans le département imaginaire de Dioubé. Les hommes qui y vivent ont enfin accepté de reconsidérer les valeurs et les tabous de la société grâce aux changements qui sont intervenus, non pas de l'extérieur, mais de l'intérieur de la communauté. Même s'il existe un fossé entre l'imaginaire du romancier et la réalité, le lecteur est amené à se

poser de nombreuses questions concernant l'Afrique, autour de thèmes comme le métissage culturel, le mariage mixte, les conflits de générations.
(Coll. Encres Noires, 11 euros, 103 p.)   ISBN 2-7475-6685-4

LA FILLE DU KOMO
NTSAME Sylvie (Gabon)
Roberte, jeune gabonaise, est allée en France poursuivre ses études supérieures. Un après-midi, alors qu'elle range des articles sur les étagères du supermarché dans lequel elle travaille, un client la heurte avec un chariot. Dès cet instant, ce bel inconnu ne ménagera plus aucun effort pour la rencontrer. De ces fréquentations, naît un amour où il s'avère parfois difficile de concilier toutes les incompréhensions générées par la rencontre de deux civilisations.
(16 euros, 182 p.)   ISBN 2-7475-7128-9

LA FLAMME DES CRÉPUSCULES
OVONO MENDAME Jean rené (Gabon)
La maîtrise du destin, éternel combat de l'homme, serait-elle l'entreprise conjuguée des forces occultes ? N 'y aurait-il pas de frontière entre le monde de la matière et l'espace des génies ? "La flamme des crépuscules" dévoile les mystères de Dzopété, village pétri par les Anciens, q'une descendance obsédée par l'instinct du Mal semble vouloir détruire. Tel est le point de départ d'un conflit plein de surprises et de retournements. Chronique foisonnante et ubuesque, au carrefour du pittoresque et de l'indicible.
(Coll. Ecrire l'Afrique, 19 euros, 288 p.)   ISBN 2-7475-7431-8

TRIBULATIONS DE WAZUNGU À MAYOTTE
DE VILLENEUVE Bruno
A travers plusieurs nouvelles sur les pérégrinations de jeunes "wazungu" (européens), le lecteur découvrira quelques traditions locales, des sites incontournables, les richesses naturelles, une faune particulière et un magnifique lagon exceptionnel sur cette petite île française de l'Océan indien, Mayotte. La curiosité et la tolérance ont été les moteurs de leurs aventures. Certes romancées, elles sont néanmoins plus vraies que nature et révèlent quelques facettes d'une île sans cesse partagée entre traditions et modernité.
(16 euros, 180 p.)   ISBN 2-7475-7167-X

LES TAMBOURS DE L'AN X. Chronique d'un exil haïtien
LEBOUTEUX François
préface de Jean Metellus
L'histoire est celle d'un homme, Jean-Baptiste Coisnon, que le destin va mettre dans la position intenable d'avoir à tenir une promesse qu'en haut lieu l'on a déjà reniée. A savoir : l'accès des Noirs à la pleine citoyenneté. On est alors aux derniers jours de la Révolution française. Aux Antilles, l'abolition de l'esclavage a sonné la fin de la suprématie des Blancs, et, à Saint-Domingue, le nouveau pouvoir Noir, symbolisé par Toussaint-Louverture, est en passe de s'affranchir totalement de la tutelle de la Métropole. C'est à ce moment-là que, sur le conseil de l'abbé Grégoire, on va chercher Coisnon pour lui confier la charge de l'Institution Nationale des Colonies (INC).
(Coll. Roman historique, 27 euros, 300 p.)   ISBN 2-7475-7410-5

POUSSIÈRE ET SANTAL
Chronique des années Ming
BARAFFE Marcel
L'itinéraire d'un lettré à travers la Chine du quatorzième siècle. Sa jeunesse, "les années de miel" dans un pays où gronde la révolte contre l'empereur mongol des Yuan ; sa rencontre avec Luo, présumé auteur du "Roman des Trois Royaumes", fresque épique et oeuvre fondatrice de la culture populaire chinoise ; et au bout du chemin des répressions, la cour du Zhu, le fils de paysan, premier empereur de la dynastie Ming, grand réformateur de l'état et grand pourfendeur de lettrés que le moindre écart condamne.
(Coll. Roman historique, 16,5 euros, 188 p.) ISBN 2-7475-7680-9

HUANG TU
Terre de Chine
SAYOUS Anne
Huang Tu (terre jaune) est le nom chinois du loess constituant le sol de la province du Gansu, dans le nord-ouest de la R. P. de Chine. Terre balayée par les vents de sable, habitat troglodyte, agriculture ingrate: la survie y est difficile. Le corridor de Hexi, coincé entre les monts Qilian et le désert de Gobi, fut longtemps emprunté par les caravanes de la Route de la Soie, et par les explorateurs. Aujourd'hui le temps des caravanes est révolu. Le train s'arrête dans des villes tentaculaires aux immeubles babyloniens scintillants.
(Coll. Voyages Zellidja, 17 euros, 210 p.) ISBN 2-7475-7363-X

MÉKONG DÉRIVES
BOUVERET Nelly
Descendre le Mékong depuis le Tibet jusqu'à la mer de Chine. L'auteur assume ses choix : la rencontre avec les civilisations du Sud-Est asiatique l'a bouleversée. Son récit impressionniste est celui d'un monde en déclin - ou en pleine renaissance, c'est selon. Ce texte à la fois intime et universel est aussi une quête de vérité, une invitation au voyage sur les rives d'un fleuve qui fait jaillir les contraires - les beautés et l'horreur -, à la rencontre de l'infinie poésie de populations toujours en lutte contre l'effacement de l'histoire.
(Coll. Carnets de Ville, 18.50 euros, 208 p.) ISBN 2-7475-7560-8

EXORCISMES
Bilingue français/arabe
HADDAD Youssef
La disparition ou la séparation verse les larmes d'un bassin à l'autre. Un lieu, un être vivant, et un autre parlant. L'un n'a pas connaissance de l'autre avant que le souffle de vie, la langue de la continuité de la vie traverse les successions d'idiomes, leurs formes et leurs sons. A chaque présentation, ou plutôt re-présentation, ré-expérimentation, un langage sort, un autre entre.
(Coll. Poètes des cinq Continents, 13,80 euros, 150 p.) ISBN 2-7475-7539-X

Achevé d'imprimer par Corlet - 14110 Condé-en-Normandie
N° d'Imprimeur : 1053000 - Janvier 2021 - Imprimé en France